JN027012

国立大学法人北海道国立大学機講
小樽商科大学経営学特講
生活協同組合コープさっぽろ寄付講座

北海道
未来学

国立大学法人北海道国立大学機講　小樽商科大学
コープさっぽろ寄付講座運営委員会 監修

発刊にあたって

小樽商科大学 学長　穴沢 眞

北海道は人口減少や地方経済の疲弊などさまざまな課題を抱えています。これらの課題は一朝一夕に解決できるものではありません。われわれの世代は課題を先送りせずにその解決に向き合わなければなりませんが、一方で常識にとらわれない自由な発想力を持つ若者の力も不可欠です。そして、未来を担う若者が北海道について真剣に考える場が必要です。

未来を考えるには何らかの指針が必要となります。とくに北海道以外の地域で展開されている活動から多くの示唆を受け取ることができます。これらの活動をそのまま北海道に持ち込むことはできないかもしれませんが、それらからヒントを得ることはできます。

コープさっぽろの寄付講座「北海道未来学」では国内外から13名の講師をお迎えし、さまざまな観点から北海道の未来を考えるヒントをいただきました。講師の方々の熱い思いとそれを真剣に聞く学生の姿が印象に残っています。

今回、本学で開講された「北海道未来学」の講義内容が書物として出版されることとなりました。本書が北海道の未来を考える一助となれば幸いです。また、この場をお借りしてコープさっぽろのご支援に感謝の意を表したいと思います。

はじめに　北海道未来学のすすめ

小樽商科大学　教授
金　鎔基

1　未来への不安と希望――北海道未来学の課題

日本、そして北海道をはじめとする地方の未来を考えることは、必ずしも楽しい話題ではないかもしれません。頭をよぎる不安や数々の悲観論と向き合うことから始めなければならないからです。たとえばこの原稿を書いている最中にも、気が重くなるニュースが飛び込んできました。経済規模の世界ランキングは、これまで米国、中国、日本の順でしたが、２０２３年度はドイツが第3位に入り、日本は4位に後退するとの予測です。中国に追い抜かれた２０１０年ほど騒がれてはいませんが、深刻なのはむしろ今回のほうではないかと考えています。

ドイツの人口は約８３００万人。その経済規模が日本を上回ったとなれば、１人当たり所得は日本の１・５倍以上になります。ドイツだけではありません。G７のほかの国も、新興経済の中国ほどではありませんが、それなりの経済成長率を出し続け１人当たり所得では依然として世界トップレベルを維持しています。

日本の1人当たり所得は1990年代にはG7の中で断トツでした。今やG7の末席に辛うじて踏みとどまっている感じです。この傾向が続けば、日本はいずれ中所得国に転落し、もはや先進国ともいえない日がくるかもしれません。これは個人の生活水準に直結する話であり、国の経済規模や威信などより切実な問題のはずです。

追い打ちをかけるように、日本は少子高齢化を心配する段階を過ぎてすでに人口が減少し始めています。高齢化は世界の高所得国にある程度は共通する傾向ですが、その中で日本は断然トップを走っています。1人当たり所得が伸びない中で人口が減少する未来は想像することすらつらくなります。とくに地方経済の衰退、人手不足や過疎地化は加速し、生活や福祉の基本インフラを供給できない地域も出てくるでしょう。

募る不安を前に、未来への希望を見つけたい気持ちも強くなっています。ただ、不安から逃れるための淡い期待や漠然とした思い込みは希望とはいえません。不安を直視しつつその背後にある要因を客観的にとらえ、一定の処方箋を示すものでなければなりません。とりわけ、すでに実践され一定の手応えを得られた取り組みに注目するのは有益です。そこには未来へのヒントがより具体的な形で表現されているはずだからです。北海道未来学講座では、そのようなヒントを集め吟味していく機会を、未来を担う若い大学生はじめ世間の皆さまに広く提供することを課題としました。

今回の講座では、日本の抱える課題を大まかに5分野に分け、それを念頭に13名の講師をお招きしました。それぞれの分野において、斬新な知見や取り組みによって新風を巻き起こしている方々です。5分野のキーワードは以下の通りです。

グローバル社会

ビジネスの変化対応力、戦略

デジタル化

地域創生、北海道

心、価値観、新しい社会

2 本書第1〜11章の概要

本書の第1〜11章は講師13名のうち11名の方の講義内容が収録されています。残るお二方の分も素晴らしい内容ですが、残念ながら書籍化はご辞退されています。まず駆け足ながら各章の概要を紹介しておきます。

第1章で、寺島実郎さんは世界の地政学地図の中に日本を位置づけつつ、壮大なスケールの議論を展開します。そして、日本が活力を保つにはアジアのダイナミズムをいかに取り込むかがカギであり、遠大な視野と総合エンジニアリング力が必要だと説いています。

第2章の長谷川秀樹さんは、今話題ふっとう中のＣｈａｔＧＰＴの賢い利用方法を、実演を混ぜながらわかりやすく説明します。実演を真似していくうちに、門外漢の私でもＣｈａｔＧＰＴを少しは使えそうな気になりました。

第3章の浜田敬子さんは、男女平等、ＳＤＧｓ、ＥＳＧ経営など、社会の質を問う諸領域における日本の立ち遅れを指摘します。一方、その遅れを取り戻す動きも活発になりつつあるとし、その中心に立っている人々を「アフター・３１１世代」と名づけることで、若い世代に新しいロールモデルを提示しています。

第4章で玉川憲さんは、ＩｏＴのグローバルプラットフォーム構築を目指すソラコム社の意気込みを語ります。同社は「ＩｏＴ技術の民主化」を掲げています。たとえば北海道で人手に頼らない獣害対策を可能にするなど、地域の皆がＩｏＴ技術を身近な課題解決に活用できるようにするという話に興味をそそられます。

第5章の杉田浩章さんは、近著『10年変革シナリオ　時間軸のトランスフォーメーション戦略』と同じタイトルの講義において、複雑な内容を簡潔に解説しています。スタートアップが脚光を浴びる時代ですが、大企業でも急激な環境変化にうまく対応できる方法があることを杉田理論は具体的に見せています。

第6章では、足立光さんがファミリーマートのマーケティング戦略を解説します。コンビニ業界は店舗数増に乗った成長が終わり、客足と客単価を争う競争の時代に突入しました。先行するライバルに立ち向かう業界3番手の戦略が明らかになります。

第7章では、(株)studio-L代表の山崎亮さんがコミュニティデザインを語ります。建築学部の教授がどうしてコミュニティデザインの専門家になったか。高齢化時代の地方コミュニティ再生はどこから手をつけるべきかを明らかにしています。

第8章では、(株)湖池屋社長の佐藤章さんが登壇します。同社は北海道を『食』の宝庫ととらえ、それを全国の消費者に届けるため工夫を積み重ねてきました。その内幕をかいま見ることができます。

第9章では山中大介さんが、地域創生という「崇高な理念」を、人々の「俗な欲求」を満たさなければ成り立たない民間ビジネスを通じて実現していく話をします。国の財政支援に陰りが見える今、持続可能な地域創生を目指す関係者に必読の内容です。

第10章で美馬のゆりさんは、食文化とそれを成立させている諸要素（エコシステムや文化的・社会的・経済的慣習）を総合的にとらえる概念としてフードウェイズ（Foodways）を紹介しつつ、AI時代における地域からの発信、教育を語ります。

第11章ではパイヴィ・アンティコスキ（Päivi Anttikoski）さんが、フィンランド生協グループの経営戦略とSDGs経営の先進的取り組みを紹介しています。人口が北海道より若干多いフィンランドにおいて、同グループは従業員数4万人強を擁する最大経営体の1つです。

3 日本および北海道の課題と各章の関連性——本書の読み方

冒頭で日本および北海道の抱える課題を5分野に分けて考えるとしました。ここでは各章の内容がこうした課題とどのように関連するのかについて、私なりの理解を整理しておきます。読者諸賢に少しでも参考になれば幸いです。

【グローバル社会】

グローバリゼーションへの対応の遅れが日本経済の課題の1つだという認識はすでに広く共有されています。この問題をめぐっては、第1章の寺島実郎さんの話が多くのことを教えています。北海道という地域を考える際も、単なる日本国内の中央と地方という図式を超えて、グローバル社会のなかに北海道を位置づける視点が強調されます。

第11章のパイヴィ・アンティコスキさんの話からも外部の人の目に映った日本のスナップショットを多数発見することができ、刺激を受けます。たとえば、リテール業界の広告チラシに紙媒体がまだ多いのを見て驚いたなど、吟味してみるべき指摘が散見されます。第4章の玉川憲さんがボーングローバル企業(born global)、つまりはじめからグローバル市場をターゲットに起業し多数の外国籍社員を採用しているのも印象的です。

【ビジネスの変化対応力、戦略】

日本企業は実務レベルの改善能力は高いが、ビジネス環境の大きな変化に対応する戦略的かじ取りに弱いとの指摘は、経営学や経済学分野では以前からありました。それに対し、第5章の杉田浩章さんは戦略的かじ取りに長け、環境変化に応じて事業構成を効果的に再編成してきた日本企業を徹底研究し理論化しています。理論を構成するツールはいずれも豊富なファクトに裏打ちされているので、奥深く具体性があり実践的疑問に十分答えています。

第6章の足立光さんの話には、市場の成熟化、ＳＮＳの普及という技術・社会環境変化をうまくとらえつつ、独自のマーケティング、広告戦略を打ち出すプロセスが明らかになっています。足立さんの話は、第8章の佐藤章さんの話と合わせて読むのもいいでしょう。どちらも実践向けのマーケティング戦略論としても読める内容です。ビジネススキルに興味のある読者なら、まずこの3つの章を読むことをお勧めします。

【デジタル化】

コロナ禍に際し各国は、営業自粛に協力した飲食店などに支援金を支給しました。私は各国が国会で支援金支給を立法化し支給が終わるまでかかった時間を調べてみたことがあります。米国、英国、韓国が約3カ月だったのに対し、日本は2年かかり、しかも予算の1~2割が手数料費用だったようです。このような差が出た主因は紙媒体行政とデジタル行政の差でした。当時の新聞見出しを飾った「デジタル敗戦」とは単なる誇張ではなかったのです。北海道未来学講座でも講師の多くがデジタル化の課題に触れています。

第2章の長谷川秀樹さんはChatGPT利用法を実演しながら、さりげなくAIの性質に対する理解を高めてくれています。第4章の玉川憲さんはIoTだけでなく、クラウドサービスやAIを含めて、技術とビジネス、地域の関連性に触れています。第10章の美馬のゆりさんはAI時代に合わせて地域からの発信や教育の仕方をどのように変えていくべきかを論じています。

【地域創生、北海道】

今後、課題が集中するのはいうまでもなく地方です。第9章の山中大介さんは地域創生事業を観光、農業、教育、人材の4分野に整理しています。そしてその取り組みには、公的資金に頼らない民間企業主導、熱い地域愛と冷徹なビジネス論理の結合、先端技術とイノベーションなどの特徴がみられます。もう1つ、山中さんの話を聞きながら気づいたのですが、政策決定のコンセンサス形成においては、中央政府より地域が有利かもしれません。たとえば、農地の用途変更が早く進んだことが山中さんの初期の事業展開の追い風となっていました。もちろん山中さんが地域社会の信頼を得ていたから可能な話です。国の指定を受けて規制緩和特区になる方法もありますが、このように地域独自の制度調整能力に目を向けるのも有益かもしれません。

山中さんは地域創生そのものを目的に起業した例ですが、第8章の佐藤章さんの話は、一般企業の営利活動が北海道の地域ブランディングや地域産業に貢献しつつ相乗効果を生み出した事例です。北海道との接点は「食」です。北海道の「食」をブランディングする概念としてフードウェイズを提唱した第10章の美馬のゆりさんの話も、合わせて読むと想像力を刺激されます。また第7章の山崎亮さんの話も同じく地域活性化論といえますが別途紹介します。

【心、価値観、新しい社会】

第3章の浜田敬子さんの話の中で、私は次の2点に興味をそそられました。1つは心、価値観の領域において日本がガラパゴス化する傾向です。たとえば2023年のジェンダーギャップ指数で、日本は146カ国のうち125位と最下位グループに入っています。調査が始まった2006年の日本は79位とまだ中位グループにいましたが、20年近く年々順位を下げてきたのです。世界が考え方や習慣を変えてきているのに、日本は変わろうとしなかったということです。2つ目は、社会的責任や意義に敏感に反応し、自らもESG経営などの実践をいとわない若い世代も着実に増えてきているという指摘です。この話に聴講者（小樽商大生）からの反響が多かったことも書き記しておきます。

第7章の山崎亮さんは高齢化と人口減で衰退しつつある地域の活性化に向け、行政に何かを期待するより、住民自ら好きなアクティビティを組織し、それを通じて人々のふれあい、社会のきずなを増やすコミュニティを提案します。山崎さんの話を聞きながら、1970年代から有名になった社会関係資本論（Social Capital Theory）を思い出しました。

高度経済成長と国家による福祉の充実化は人々の個人化傾向を促し、血縁、地縁、会社、労働組合に至るまで社会的きずなは弱まりました。社会の課題はすべて行政に任せっきりとなり、官僚制は肥大化しました。その行政も今は金欠で頼れなくなりました。将来、孤独死を増やさないためにも、経済的に豊かになる過程で置き忘れてきた社会のきずなを回復する必要があると、山崎さんは説いているのです。

ただ、地域への所属意識、責任意識を喚起するばかりでは今の人々には受けません。だから山崎さんがあげるアクティビティ事例には趣味を軸とするものが多いのです。オープンな、出入りに心理的負担の少ないつき合いが大事だということです。古めかしい集団主義とは一線を画す鋭い洞察を見てとれます。

北海道未来学　目次

発刊にあたって　小樽商科大学 学長　穴沢 眞……001

はじめに　北海道未来学のすすめ　小樽商科大学 教授　金 鎔基

1―未来への不安と希望――北海道未来学の課題……002
2―本書第1～11章の概要……004
3―日本および北海道の課題と各章の関連性――本書の読み方……007

第1章　世界史的転換点に立つ日本の針路――そして北海道の未来
一般財団法人 日本総合研究所 会長　寺島実郎

●今どんな時代を生きているのか……020
●世界史の中の北海道と小樽……021
●ウクライナと北海道の縁……023
●日本の戦後復興を支えた北海道……025
●20年で急落した日本のGDPシェア……026
●最大の問題は危機感がないこと……030
●微妙な日露関係……032
●「アジアダイナミズム」を視界に入れる……034
●「日本海物流」が北海道経済を動かす……037
●日本の未来をつくる産業の進路……041
講義のポイント……044

第2章
2023年に突然きた、ChatGPTの威力
生活協同組合コープさっぽろCIO／ロケスタ株式会社CEO　長谷川秀樹

● インターネットやスマホを超えるインパクト……046
● チャットGPTで何ができるか……048
● 教えてくれるのではなく「生成」してくれる……051
● ビジネスで活用する……053
● 「謝罪メール」を書いてもらう……055
● 「始末書」を書いてもらう……059
● プログラミングもできる……061
● 専門知識の領域でも活用できる……065
講義のポイント……068

第3章
ビジネスで創る新しい社会
ジャーナリスト　浜田敬子

● 「課題先進国」日本の現状……070
● 日本の変革は歩みが遅すぎる……073
● 消費者の姿勢も問われている……075
● 地域を活性化する取り組み……078
● 個人の能力とリソースを社会のために使う……081
● 東日本大震災後の起業家たち……084
● 社会の課題を新事業で解決……087
● 企業に勤めながら新規事業に取り組む……089
● 自分がリーダーになって社会を変える……092
講義のポイント……096

第4章
IoTテクノロジーの民主化
株式会社ソラコム　代表取締役社長　玉川　憲

●インターネットの衝撃……098
●コンピューターは「所有」から「利用」へ……100
●AWSビフォー・アフター……103
●携帯電話代に苦しむ大学生を救う……105
●モノの中にあるデータをどう集めるか……107
●IoTテクノロジーを世界中で使いやすく……109
●自販機、自動車、ロボットなどにSIMを提供……111
●パッションを持ち、リスクをとる……114
講義のポイント……118

第5章 10年変革シナリオ――時間軸のトランスフォーメーション戦略
BCGシニア・アドバイザー／早稲田大学ビジネススクール 教授 杉田浩章

●「今」と「将来」をつなぎながら組織を革新する……120
●3つのウェイブを回す5つの要素……124
●お金を3つの領域に配分する……126
●未知の領域にも投資配分を行う……129
●市場創造を仕掛けるイノベーション……131
●企業と個人のパーパスを合わせていく……134
●投資家が納得するシナリオを組み立てる……136
●トランスフォーメーション戦略を展開する体制……138
講義のポイント……140

第6章 ファミリーマートのマーケティング戦略と北海道への示唆
株式会社ファミリーマート エグゼクティブ・ディレクター チーフ・マーケティング・オフィサー 足立 光

●マーケティングは「商売」そのもの……142
●なぜファミリーマートは負けていたのか……145
●どこに向けて何を訴求するか……146
●定番品を強化し重点カテゴリーを定める……150

●顧客視点でコンセプトを強化する……152
●メッセージを伝えるための3つのメディア……155
●お客様の来店目的を広げる……158
●マーケティングの観点で見た北海道の観光……160
講義のポイント……164

第7章 No Community, No Life

株式会社studio-L代表／関西学院大学建築学部 教授 山崎 亮

●人口減少時代の「適疎」と「縮充」……166
●施設の完成まで活動の練習をしてもらう……169
●人とのつながりを生み出す仕事……172
●門徒の減少を食い止めたいお寺……174
●「寺カフェ」でコミュニティを活性化……176
●ワークショップで名前やロゴを決めていく……178
●「生活協同組合」の仕組みが見直されている……180
講義のポイント……184

第8章 湖池屋ブランディングと北海道ブランディング

株式会社湖池屋 代表取締役社長 佐藤 章

●大きなトレンドを見て〝ゼロ〟からイチを生む……186
●人の心を惹きつける商品かどうか……189
●日本で初めてポテトチップスの量産化に成功した会社……191
●組織を改革する5つの要素……193
●イノベーションブランドをつくる……196
●創業者の理念に新商品のヒントがあった……199
●北海道から新たな食の価値を発信する……201
講義のポイント……204

第9章 ヤマガタデザイン

YAMAGATA DESIGN株式会社 代表取締役社長 山中大介

- いかに地方の課題を解決するか……206
- 「陸の孤島」で会社を起こす……208
- 田んぼのホテルに6万人がやって来た……209
- 教育の機会平等を実現するために……212
- 「勉強したくなる子ども」をつくる教育……215
- Uターン潜在層を対象にしたリクルート事業……217
- 拡大する有機農業の市場……219
- 「地方の希望であれ」のビジョンのもとで……223

講義のポイント……226

第10章 科学技術と食文化 ～北海道から社会変革～

公立はこだて未来大学 教授 美馬のゆり

- 日本の食卓を未来へつなぐ3つのキーワード……228
- みんなで学び合う場をつくる……230
- 「人生100年時代」とAI……233
- 「和食資産」の価値をいかに継承していくか……236
- 生成AIの3つの社会的影響……240
- いよいよAIの時代が身近に始まった……243

講義のポイント……246

第11章 フィンランドにおける協同組合の役割と重要性

Sグループフィンランド最高メディア責任者、上級副社長 パイヴィ・アンティコスキ

●フィンランドはヨーロッパの中の日本……248
●19の地域協同組合で構成された企業グループ……250
●「あなたの1日1日を特別な味わいにする」……252
●毎月10日にボーナスを支給……254
●持続可能性を追求する……256
●積極的にロビー活動を行う……257
●消費電力すべてを再生エネルギーでまかなう……260
●健康的な食事への意識が賢明な消費活動につながる……262
講義のポイント……266

特別講座〈対談〉
コープさっぽろの人材とDX推進
早稲田大学大学院 経営管理研究科（早稲田大学ビジネススクール）教授 入山章栄
生活協同組合コープさっぽろ 理事長 大見英明

●「複線雇用」で優秀な人材を発掘する……268
●人を束ねる力と向上心のある人に活躍してもらう……270
●「雑種強勢」でダイバーシティ経営を進める……272
●仕事改革発表会を1年に18回開催……275
●いち早くデジタル化に着手……279
●とりあえずやってみると利便性がわかる……281
●デジタルは遊びながら使い倒すのがいい……284
対談のポイント……287

おわりに 生活協同組合コープさっぽろ 理事長 大見英明……288

第1章

世界史的転換点に立つ日本の針路——そして北海道の未来

一般財団法人 日本総合研究所 会長

寺島実郎

1947年北海道生まれ。早稲田大学大学院政治学研究科修士課程修了後、三井物産㈱入社。ワシントン事務所長、戦略研究所所長、常務執行役員などを歴任。現在、日本総合研究所会長、多摩大学学長。国の審議会委員も多数務める。著書に『新経済主義宣言』（新潮社、石橋湛山賞受賞）、『日本再生の基軸』（岩波書店）、『ダビデの星を見つめて』（NHK出版）ほか多数。TBS系列「サンデーモーニング」などメディア出演多数。

今どんな時代を生きているのか

私は北海道の出身で、札幌旭丘高校を卒業して早稲田大学の政治経済学部に入り、大学院に進んだのち三井物産に入社して海外を動き回ってきました。先ほど千歳空港に着いて小樽に向かったわけですが、故郷に戻ってきて4月のこの空気を思い出すと、ちょっと胸が熱くなります。これから北海道を視界に置きながら、世界史的転換点に立つ日本の針路についてお話しします。

まずは時代認識です。私は、企業経営でも個人の生き方でも、時代認識が的確でない生き方が成功するはずはないと思っています。自分が今どんな時代に生きているのか、これからどういう時代を生きていくことになるのか、われわれは一生その問題意識と格闘していかなくてはなりません。

今、私たちは歴史時間軸の中の、どんな位置に立っているのか――時代を「明治期」「戦後期」「未来圏」に分けて考えます。

「明治期」とは、明治維新から日本が戦争に負けた１９４５年までの77年間です。この「77年」というのがキーワードです。戦争に敗れてから昨年２０２２年までが77年。これが「戦後期」。

現在2023年の初頭ですが、77を足すと2100年。22世紀に入る前の年です。この77年が「未来圏」です。つまりわれわれは現在、「戦後期」と「未来圏」という一つの歴史の折り返し点に立っています。この3段重ねの折り返し点を見つめながら、自分が今ここにいるということをまず考えてもらいたいのです。

世界史の中の北海道と小樽

この歴史軸に、世界史の中の北海道、そして小樽を重ねて考えをめぐらせてみましょう。まず、「明治期」における北海道、つまり戦争に敗れるまでの77年間の北海道についてイマジネーションを働かせてください。

「北海道」というのは地名ではありません。ある意味では思想です。志でもあるかもしれない。北海道とは、日本近代史の期待を背負ってつけられた名前なのです。今、ロシア・ウクライナの紛争、戦争をわれわれは横目で目撃しているわけですが、極東ロシアと北海道は双生児みたいなものなのだということが、皆さんの頭の中に描ければ、北海道の持つ意味が少し見えてくると思います。

日本の歴史が幕末から明治維新へと動いた時代、1853年にペリーが浦賀に来航しました。日本人の多くは、日本近代史はこのペリー来航によって、つまりアメリカがやって来て揺さぶられたのだと思っていますが、じつはそれより半世紀以上も前にロシアが北から揺さぶってきたのです。「北の黒船」です。

1792年、日本との通商を求めてロシアからラクスマンが根室にやって来ました。ペリー来航の50年以上前です。幕府は、ラクスマンに「函館に回ってくれ」と言って時間稼ぎをして、函館に回らせたあげくに「日本の窓口は長崎なので、長崎に行ってくれ」とさらに時間稼ぎをして追い返した。その後1804年にロシア使節レザノフが長崎にやって来た。このように北からロシアが揺さぶってきました。日本の近代史、北海道の歴史は、ロシアの揺さぶりに対応する形で動き始めたのです。

私は、多摩大学という東京西部にある大学で学長を務めていますが、この多摩という地域と、北海道には不思議な縁があります。徳川幕府が倒れたのは1867年ですが、その67年前の1800年に多摩から八王子千人同心(せんにんどうしん)というのが蝦夷地(えぞち)(北海道)にやって来た。徳川家康は山梨武田家の騎馬武者隊を滅ぼしたあと、その精鋭部隊を多摩八王子にもってきて江戸の西地域の治安活動に当たらせました。これが八王子千人同心で、彼らが蝦夷地に来たのです。

１７９２年にラクスマンが根室にやって来て、１８０４年にレザノフが長崎に来ましたが、その間の１８００年に、蝦夷地防衛のために幕府は多摩の八王子から１００人の千人同心を送り込んだ。これがのちの屯田兵という仕組みにつながります。千人同心は50人ずつに分かれて、１つは勇払（ゆうふつ）、今の苫小牧の地域に、もう1つは釧路のすぐ近くの白糠（しらぬか）というところに入りました。

なぜこういう話をしているのかというと、世界史の脈絡の中で北海道を考える視界がなければグローカリティ（グローバル＋ローカル）などといっても通用しないからです。

ウクライナと北海道の縁

極東ロシアと北海道がなぜ双生児なのか――。

１８６０年、ロシアは清との交渉の末に両国の国境付近を流れるウスリー川の北側を獲得し、そこにウラジオストックという町を建設しました。日本海を挟んだ小樽の対岸です。ウラジオストックとはロシア語で「東を攻めよ」という意味で、ロマノフ王朝の極東に対する野心をむき出しにしたような地名です。

現在、極東ロシアには約６００万人のロシア人が住んでいることになっていますが、その先祖をチェックしてみると約半数がウクライナから来ています。ウクライナからまず開拓移民を持ってきた。屯田兵のようなものです。19世紀中に約6万人のウクライナ人がウラジオストックに入植しています。

歴史というのは複雑で、ため息が出るような話なのですが、1917年にロシア革命が起こったとき、ウクライナはモスクワに逆らった。独立を試みる連中までいました。それらの人たちがソ連成立以降、押し出されるように日本にやって来た。サハリン経由で北海道にも白系ロシア人たちが入り込んできました。白系とは赤に対する白です。赤は共産党を表す色で、ロシア革命に反抗した人たちを白系と言いました。

昭和の大横綱に大鵬という人がいましたが、彼の父親はウクライナ人でした。それから、旭川中学（現・旭川東高校）からプロ野球に入って戦前戦後に活躍したスタルヒンというピッチャーがいました。白系ロシア人です。

ウクライナ戦争は遠い国の出来事のように思っているかもしれませんが、このように縁が複雑に北海道と絡み合っているのです。

私が生まれたのは旭川の近くの炭鉱ですが、そこに長老と呼ばれる人がいて、「日露戦争で激戦地の二〇三高地を落としたのは旭川の師団だ」と言って胸を張っていたのを思い出します。日本人は日露戦争でロシアと戦ったと思っていますが、当時極東に張りついていたロシア軍の多くはウクライナの軍隊でした。旅順を守っていたのも、日本海を守っていた海軍も、極東ロシアに張りついていたロシア兵はウクライナの兵隊が主力だった。日露戦争はウクライナと戦った戦争だったという見方もできるのです。

このように、「明治期」という時代を北海道と重ね合わせて考えてみると、ロシアの歴史と絡み合っていることがわかります。

日本の戦後復興を支えた北海道

戦後、北海道は日本の復興をエネルギーで支えました。北海道の主力産業が石炭だった時代があります。たとえばカネカという会社を率いている菅原公一会長は空知(そらち)の炭鉱に父親が働いていて、空知の高校の出身です。あとで触れますが、今カネカは苫小牧東の工業団地に巨大な医療機器のプロジェクトを展開しています。

私が三井物産時代に仕えた江尻宏一郎社長は、小樽で育ったことをよく話していましたが、父親も三井物産に勤めていたのです。三井物産は戦前、小樽に木材部のワールドヘッドクォーターズを置いていました。木材部門の総本社です。父親はそこで仕事をしていたのだと言っていました。その木材部からスピンアウトしたのが王子製紙です。

私は九州の筑豊でも2年くらい暮らしましたが、じつは先日、作家の五木寛之さんと対談を行いました。五木さんは現在90歳で筑豊の出身ですが、私が北海道の炭鉱で生まれた年に朝鮮半島から引き揚げてきました。引揚者は３００万人ほどで、みんな職がない。そのとき朝鮮半島に近い筑豊の炭鉱が受け皿になったのです。

かつて石炭は黒いダイヤと言われ、その増産が戦後復興の柱となり、多くの人が筑豊の炭鉱に吸収され、次のステップで引揚者たちが北海道の炭鉱にも流れた。北海道は、「戦後期」77年のうち１９６０年代までエネルギー供給基地として大きな役割を果たしてきたのです。今、北海道は食料の供給基点として食材王国になっていますが、産業の基盤が「戦後期」77年の中で大きく変わったのです。

20年で急落した日本のＧＤＰシェア

「明治期」のスタートラインに立ったときの日本の青年たちは、幕末維新の志士のような問題意識を持っていました。このままいけば日本は欧米列強の植民地にされてしまうかもしれないという途方もない緊張感と危機感の中で、「明治期」はスタートしたのです。

「戦後期」の77年も敗戦の屈辱から始まりました。アメリカを中心としたＧＨＱに占領され、occupied Japan（占領下の日本）という状況に置かれ、１９５１年のサンフランシスコ講和条約で、ようやく建前上は独立国家となって動き始めました。そこから日本はどう動いたか。まず世界ＧＤＰシェアの推移を見てみます。**図表1**（次ページ）をご覧ください。

小樽商科大学が小樽高商（小樽高等商業学校）という名前で産声を上げたのは１９１０年ですが、その3年後の１９１３年の日本のＧＤＰはどうだったのか。第一次世界大戦の始まる前年です。

この時代、日本はライジング・サンといわれるくらい富国強兵・殖産興業の時代を突っ走り、一気に世界史のセンターラインに登場したかのように見えますが、その時代、日本のＧＤＰが世界に占める比重は３％程度でした。

１９５０年は「戦後期」が始まって5年後です。翌年にサンフランシスコ講和条約が結ばれます。日本の世界ＧＤＰに占める比重は３％。ここから日本の戦後の歴史が始まります。

１９５０年から88年までわれわれの先輩たちが歯を食いしばって頑張った。工業生産力で外貨

｜図表1｜ 世界のGDPシェアの推移（アジアの数値は日本を除く）

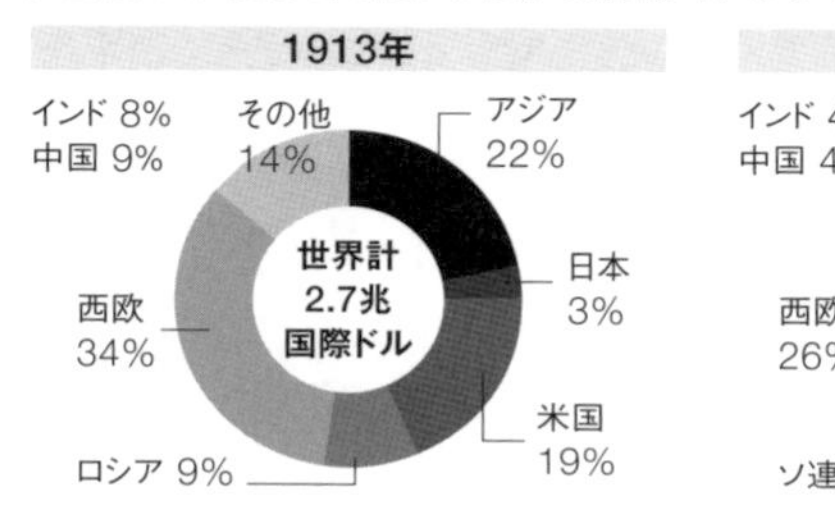

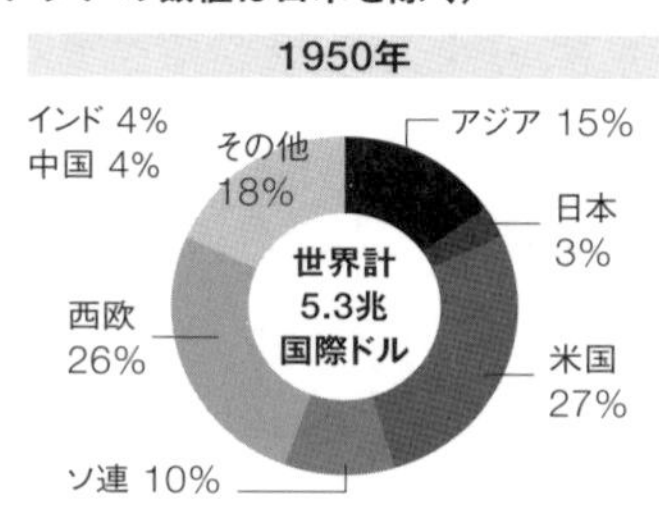

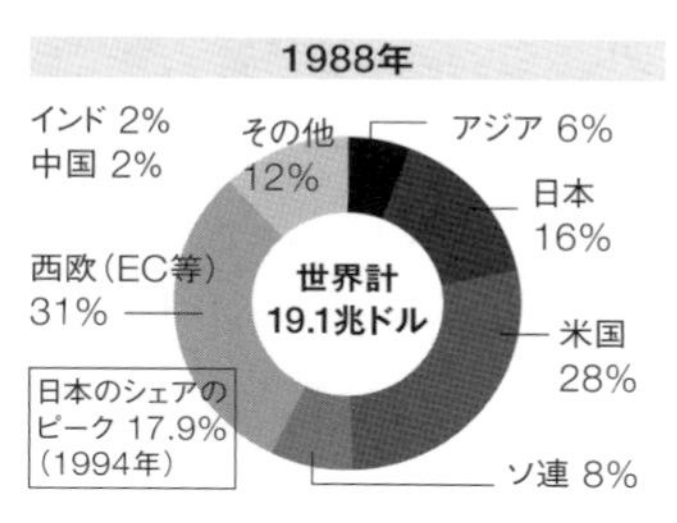

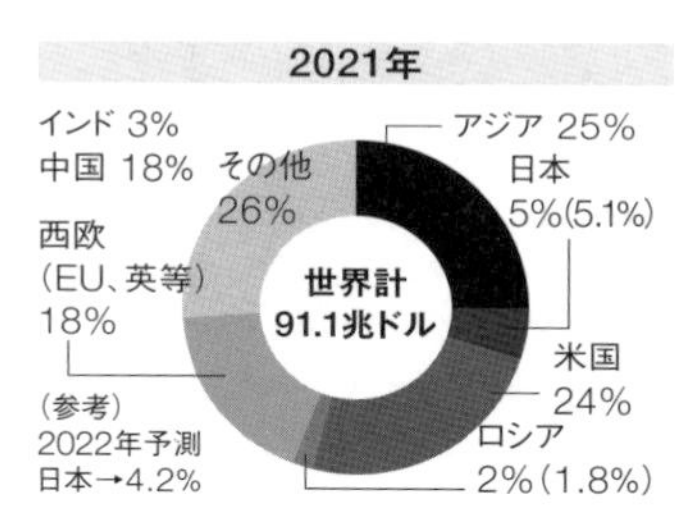

を稼いで日本を豊かな国にしようと、必死になって鉄鋼産業、エレクトロニクス産業、自動車産業を育て、今日世界の中で先進国というブロックにいる日本をつくり出す基盤になった時期です。

バブル経済のピークに迫る１９８８年、日本の世界ＧＤＰに占める比重は16％までいきました。日本を除くアジアは、中国、インド、ＡＳＥＡＮ（東南アジア諸国連合）を全部かき集めても6％。日本はアジア断トツの経済産業国家になりました。

日本はこの１９５０年から88年までの間に大きなパラダイム転換を果たしたのです。その翌年89年の1月8日から平成時代が始まります。

21世紀に入る前の年、２０００年の日本の世界ＧＤＰに占める比重は15％でした。まだ日本は持ちこたえていた。日本を除くアジアは７％ですから、やはり日本はアジア断トツの経済産業国家として21世紀に入った。

ところが、21年は日本の世界ＧＤＰに占める比重はわずか５％に落ち込んでいます。日本を除くアジアは25％ですから、日本の５倍超です。日本人はこの21年間のパラダイム転換に頭がついていっていないのです。まだ大丈夫だと思っている。つい先日、ＩＭＦ（国際通貨基金）の新しい経済見通しが発表され22年の実績が出ました。日本の世界ＧＤＰに占めるシェアは４・２％でした。

シェアがピークだったのは１９９４年です。日本は世界の17・９％。約18％を占めていました。それが２０２２年は４・２％だった。17・９から４・２にまで下がってしまったのです。

世の中には、ＧＤＰはＧＤＰにすぎないと言う人もいます。しかし、ＧＤＰはわれわれが汗をかきながら経済活動をして生み出した付加価値の総和です。その日本の数値が世界全体の中でものすごい勢いで埋没してきていることは確かです。

２０２２年、日本を除くアジアが世界ＧＤＰに占める比重、つまり、中国、インド、

ＡＳＥＡＮが占める比重は日本の６・５倍に跳ね上がっていました。これが今、日本が置かれている状況です。

皆さんの中には、今も日本は世界の中でそこそこうまくいっているのではないかと思っていた人がいるかもしれません。多くの日本人がいまだにこの幻想の中にいます。ただし、それはある意味、幸せな誤解の中を生きているとも言えるのです。

最大の問題は危機感がないこと

今われわれは「未来圏」の先頭に立っていると言いましたが、私は日本の抱えている最大の問題は危機感がないことだと思います。世界の中で日本はどういう立場に置かれているのか、ファクトを真剣に見つめなくてはいけません。

ＩＭＦの世界経済見通しを見てみましょう（**図表2**）。ＩＭＦは3カ月に1回、世界経済見通しを改定しています。

２０１７年、18年、19年、コロナ禍に入る前の3年間、世界の実質ＧＤＰの動きは３・８％成長、３・６％成長、２・８％成長とスローダウン気味ではありましたが、日本の19年のマイナ

| 図表2 | IMF　世界経済の見通し（実質GDP成長率・2023年4月発表）

（%）

		2017年	18年	19年	20年	21年	22年		23年	
							22年4月発表時	最新値	23年1月発表時	最新値（予測値）
世界		3.8	3.6	2.8	▲2.8	6.3	3.6	3.4	2.9	2.8
先進国	米国	2.2	2.9	2.3	▲2.8	5.9	3.7	2.1	1.4	1.6
	ユーロ圏	2.6	1.8	1.6	▲6.1	5.4	2.8	3.5	0.7	0.8
	イギリス	2.4	1.7	1.6	▲11.0	7.6	3.7	4.0	▲0.6	▲0.3
	日本	1.7	0.6	▲0.4	▲4.3	2.1	2.4	1.1	1.8	1.3
BRICs・新興国	ブラジル	1.3	1.8	1.2	▲3.3	5.0	0.8	2.9	1.2	0.9
	ロシア	1.8	2.8	2.2	▲2.7	5.6	▲8.5	▲2.1	0.3	0.7
	インド	6.8	6.5	3.9	▲5.8	9.1	8.2	6.8	6.1	5.9
	中国	6.9	6.8	6.0	2.2	8.5	4.4	3.0	5.2	5.2
	ASEAN 5	5.2	5.0	4.3	▲4.4	4.0	5.3	5.5	4.3	4.5
	台湾※	3.3	2.8	3.1	3.4	6.5	3.2	2.5	2.1	2.1

※台湾行政院統計

ス０・４％成長を例外にして、世界同時好況というサイクルを走っていました。

新型コロナウイルス感染の流行が始まった２０２０年、世界経済はマイナス２・８％に落ち込みました。ところが、中国だけがプラス成長で駆け抜けた。武漢発祥のウイルスと言われていたのに、中国だけが先にトンネルを抜けてプラス成長で20年を駆け抜けたのです。

21年の世界経済は、前年がマイナス成長だったため、そのリバウンドで数字面ではやけに堅調のように見えますが、実質ＧＤＰ前年比プラス６・３％という数字でした。

そして22年1月、ＩＭＦは「今年の

世界経済は4・4％の実質成長」と発表しましたが、2月24日にロシアによるウクライナ侵攻が起こった。それで原材料資材価格が高騰し、インフレ事態に対して、アメリカがものすごい勢いで政策金利を上げ始めたのはご存じのとおりです。アメリカの中央銀行にあたるFRBは金利を一気に跳ね上げた。いわゆる引き締めに入ったのです。結局アメリカは22年2・1％成長にとどまりました。23年も1・6％程度というのが、この4月版のIMFのアメリカ経済に対する見通しです。

22年、ユーロ圏とイギリスは意外なほど数字上は持ちこたえました。ところが最新版はユーロ圏が0・8％、イギリスはマイナス0・3％と、1月版よりは少し楽観的な見方になってきていますが落ち込んできている。問題は日本ですが、22年1月3・3％成長でスタートをきっていたのに1・1％にとどまった。23年も1・3％くらいでしょう。アベノミクス10年間の実質成長率の年平均は0・5％にすぎません。水面すれすれを這うように動いているのが日本経済の現実なのです。

微妙な日露関係

新興国ブロックでは、2022年4月の段階でロシアがマイナス8・5％成長に落ち込むだろうと言っていたのが、マイナス2・1%くらいにとどまっている。ロシア経済は結構持ちこたえていると見る人もいます。しかし、これは表面的な統計の話であって、実体経済は大変な苦しみに入っています。

なぜ持ちこたえているように見えるのかというと、通貨ルーブルが異様な形で持ちこたえているからなのです。もっとルーブルが下落するだろうとの見通しでのマイナス8・5%だったのですが、意外に持ちこたえている。それは、1つはロシア産の原油やLNG（液化天然ガス）の決済をルーブルで行っているから。もう1つは金です。ロシアは世界第3位の金の産出国で、外貨準備を金とリンクさせて、金本位制に戻ったかのごとく無理やりねじ曲げる形でルーブルを持ちこたえさせている。

しかし22年の11月からエネルギーの輸出価格にシーリングをかけられて締め上げられていることもあって、ロシア財政は急速に悪化してきています。さらに、部品の調達もままならないというぐらいの制裁がボディーに効いている。要するに実体経済はものすごく苦しみ抜いているというのが現下の状況です。

これは北海道の人には微妙です。北海道はサハリンからLNGを持ってきています。いまだにサハリンからLNGが届いている。すぐそこの石狩にも上陸しています。一方で、日本は去年、ロシアに対して21万3000台の中古車を輸出しています。新車がつくれなくなっているロシアにとって、日本から来ている21万台の中古車がロシアを支えているという皮肉な言い方がなされるぐらい微妙な形です。

日本はG7と連携してロシアを制裁しているように見せています。たしかに輸出は前年比で3割減っていますが、中古車は出し続けている。LNGが来ているから輸入はほとんど減っておらず、むしろ増えています。日露関係は微妙なのです。世界の動きの中で、日本は非常に難しい舵取りを迫られています。

「アジアダイナミズム」を視界に入れる

中国は2022年の全人代(全国人民代表大会)で5・5%成長を目指すと言いましたが、ゼロコロナ政策のインパクトもあって3・0%にとどまりました。23年はゼロコロナを解除して5・2%成長ですが、この数字は微妙です。中国が内部に抱えている問題を経済成長のスピードで覆い隠さなくてはいけないという、そのギリギリが6%成長だと言われるので5・2%は微妙なのです。

注目すべきは、インド、ＡＳＥＡＮ‐5、そして台湾です。中国を除く「アジアダイナミズム」をどこまで理解し視界に入れられるかが、これからの日本経済、また日本経済の中を生きる者にとって大変重要なポイントなのです。

インドは22年6・8％成長、23年も5・9％成長予想です。インドの人口は23年半ばに中国を追い抜くという報道がありましたが、あらゆる面でインドが世界のセンターラインに出てきているのです。

ＡＳＥＡＮ‐5というのは、ＡＳＥＡＮ10カ国のうち代表的な5つの国のことです。マレーシア、フィリピン、タイ、ベトナム、インドネシア。このＡＳＥＡＮ‐5が、22年5・5％、今年も4・5％の成長が予想されている。これが世界経済にとっても日本の経済にとっても大きな意味があるのです。

日本人が、アジアダイナミズムをしっかり考えるうえで知っておくべきなのは台湾の経済規模です。ついこの間まで日本人は、台湾を日本のアンダーテイカー、部品のアンダーテイカーにすぎないと上から目線で見ていた。ところが今、話が違ってきていることに気づかなくてはいけません。シャープがホンハイという台湾企業に買収されたあたりから、話がすべてひっくり返ってきているというのが、私の実感です。

台湾のGDPの規模は約8000億ドルです。日本でいうと九州7県と四国4県、中国地方5県を足したに等しい規模感です。もっと言うなら、京都、奈良、大阪、三重、和歌山、滋賀の関西ブロック全体のGDP規模は台湾の87%にすぎません。21年の段階で、もし台湾が日本の県だとしたら東京に次いで第2位です。それこそ北海道よりもはるかに大きな経済規模だということについて、北海道の人はどう思うでしょうか。台湾は、北海道の4~5倍大きな経済規模になっている。そこで、イマジネーションを働かせてもらいたいと思います。

アジアダイナミズムを自らに引きつけて考えるときに重要なのが1人当たりGDPです。先ほど話していたのは国全体のGDPで、それを人口で割った1人当たりGDPは、国の豊かさを象徴する数字としてまず確認するイロハのイです。

21年の段階で日本の1人当たりGDPはアジアで4位に落ちています。シンガポールにも香港にも抜かれています。世界では27位。22年の予測では台湾に抜かれてアジア5位に落ちる見通しだったのが、抜かれなかった。首の皮1枚です。日本と台湾と韓国、東アジアの3つの国がほぼ並びました。このことが重大なのです。

23年5月に広島でG7が開催されます。日本人はG7の一角を占めるアジア唯一の国であることに自尊心を感じているかもしれませんが、豊かさのレベルでは日本はG7どころかG20にも入っていない。G30も危なくなってきているのが現状です。

台湾がどうしてこれほど躍進しているのか。台湾のGDPの15〜20%が半導体要素です。TSMCという半導体の会社が、世界の半導体シェアの53%を占めるほど躍進しています。日本の熊本に工場を建設している話は皆さんの耳にも入っているでしょう。

「日本海物流」が北海道経済を動かす

アジアダイナミズムを考えるとき、まず視界に入れてもらいたいのは、アメリカと中国との貿易です。

われわれは「米中対立」など世界を二極化する考え方に引っ張られがちです。たしかに先端技術をめぐってアメリカと中国が本気で殴り合っているように見えますが、アメリカと中国との間のファンダメンタルズ、つまり物流、商流、ビジネスは増え続けています。日米貿易の3倍超です。米中の相互依存関係は一段と深まっているのです。

日本の小中学校、高校の教室にはメルカトル図法による地図が掲げられています。その地図によって、日本は太平洋を挟んでアメリカと向き合っている国だというイメージで世界観がつくられました。メルカトル図法の地図を見ると、上海と鹿児島の緯度がほぼ同じなので、大方の日本人は、米中貿易の船は鹿児島の南の太平洋を行き来しているのだろうと思いがちです。しかし全然違います。米中貿易は日本海を抜けています。津軽海峡を通って動いているのです（**図表3**参照）。

私は津軽海峡を上から見ながら千歳空港に降りてきましたが、津軽海峡は米中貿易ラッシュです。鹿児島の南より津軽海峡を通るほうが2日早いからです。地球儀でものを考える思考をもっていれば、なぜ2日早いのかピンと来ます。水が高いほうから低いほうへ流れるように、ビジネスは時間もコストもかからないほうに向かう。「日本海物流」の時代が来ているのです。

ここで、世界の港湾ランキング（コンテナ取扱量）を考えます。

私が三井物産に入った頃は、神戸、横浜が世界1位2位でしたが、今、横浜は72位、神戸は73位に落ちている。日本の港で最上位が東京港の46位というぐらい世界は様変わりしました。1位から10位までほとんどが、グレーターチャイナ（大中華圏）、中国および華僑圏の港によって占められていて、釜山（韓国）が7位に入っています。ここに注目すべきです。

神戸がこれほど無残なまでに後退したのは阪神淡路大震災のせいではありません。四国の物流を分析するとわかります。今治、松山は、今までは内航船で神戸につないで太平洋航路に乗せま

｜図表3｜アジアダイナミズムと日本海物流

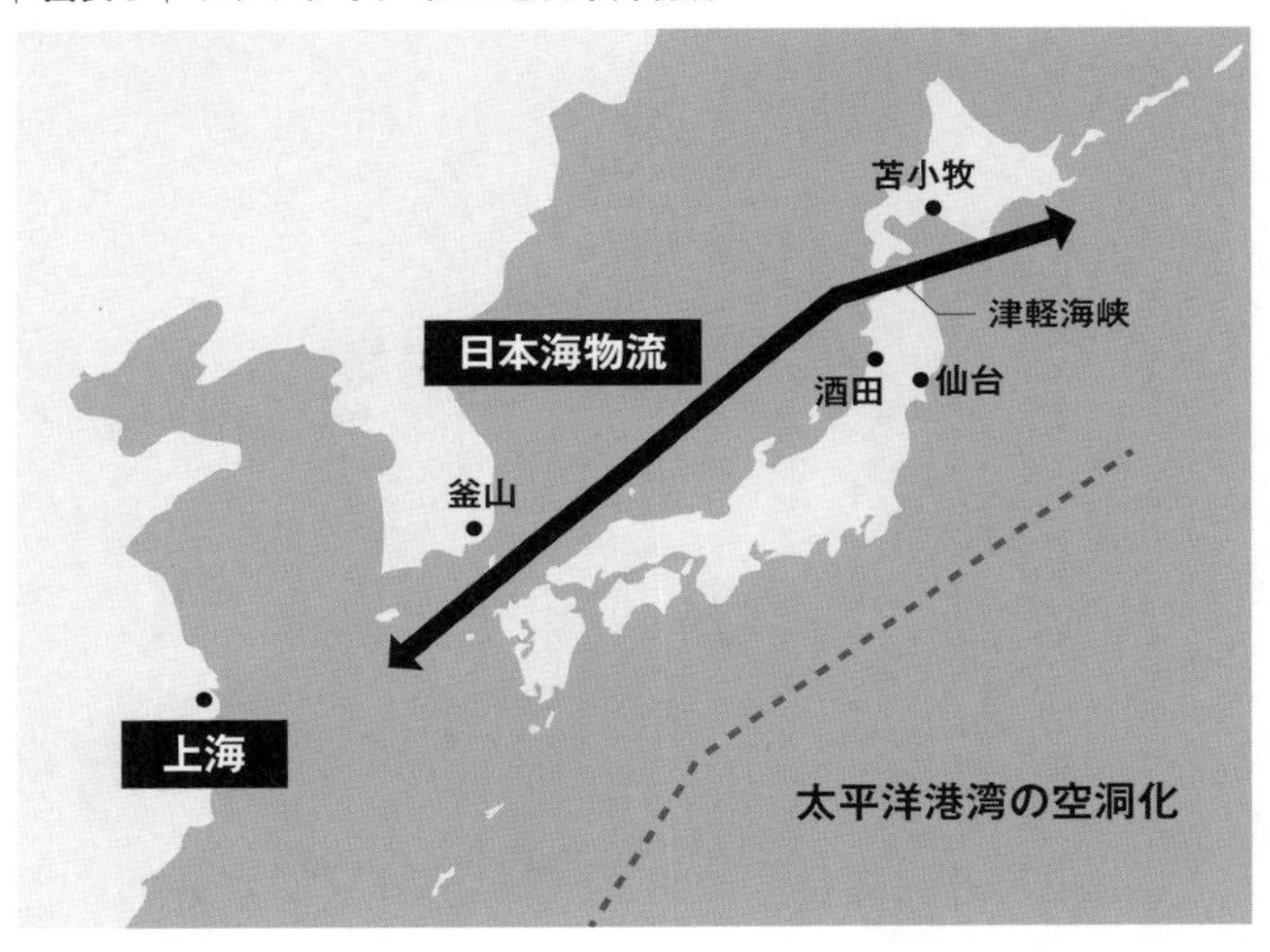

したが、今はダイレクトに釜山につなぐ。ここに世界最大のマーケットであるアメリカと、最大のマーケットに迫りつつある中国とをつなぐ物流が動いているからです。そこにダイレクトにつないだほうが時間もコストもかからない。そのあおりを食って神戸はどんどん埋没していっているのです。

物流軸が日本海沿海の港に移り始めています。日本列島全体の物流軸が太平洋側から日本海側に、スッと日本海物流に吸い込まれるように動き始めている。今伸びているのは、浜田、酒田、金沢、舞鶴、すべて日本海側の港です。

図表3の地図の仙台と酒田に点が打っ

であるのをよく見てください。本州は北に行くほど狭く、仙台・酒田間は高速道路で1時間半〜2時間です。仙台の物流を酒田がなぜ担うのかといえば、酒田の沖合に日本海物流が動いているからです。要するに、アメリカのマーケットと中国・アジアのマーケットを選ぶなら、日本海側の港に出したほうがいい。日本海物流が宮城県の経済を動かしているのです。

苫東（とまとう）開発という名前は、北海道の人なら耳にしていると思います。苫小牧東部地域開発のことです。千歳空港から苫小牧に向かうと巨大工業団地があります。いわゆる後背地産業構造です。そこにしっかりしたプロジェクトを打ち込めば、アメリカと中国という世界最大のマーケットを両睨みして、戦略的な立地が確保できます。

沖合に船が動いているわけですから、それを物流につなげられる産業構造があることが重要です。今、三井物産とソフトバンクが組んだ日本最大のメガソーラーのプロジェクト、植物工場のプロジェクト、先ほど話題にしたカネカの医療機器のプロジェクトなどが進められています。そこへ今度、いよいよ日本の起死回生の願望を込めたプロジェクトとして5兆円の半導体工場が千歳に来ます。千歳と苫東は隣り合わせです。電源の確保や付加価値のシナジーを考えても千歳しかないだろうというぐらいの戦略立地です。このプロジェクトが北海道に落ち着いたことは、北海道の将来にも大きな意味のあることだと思います。

日本の未来をつくる産業の進路

これまでの日本の産業の軸は工業生産力モデルでした。鉄鋼、エレクトロニクス、自動車産業を育てて、外貨が稼げる国をつくり上げました。

松下幸之助さんがＰＨＰという言葉をつくりましたが、これはPeace and Happiness through Prosperityの略です。Prosperity（繁栄）をつくれば、Peace（平和）とHappiness（幸福）が来ると考えて戦後の日本人は生きました。ところが、一定のProsperityをつくってみたけれども、必ずしもPeace and Happinessは来ないことに気づき始めた。この先このモデルに酔いしれていては日本の未来はないことがしだいにわかってきました。

日本は、3年経ってもコロナワクチン一つつくれなかった。三菱重工が中心になって進めていたＭＲＪという小型ジェット旅客機の国産化プロジェクトが挫折した。加えてＨ３ロケットの打ち上げにも失敗した。これらが日本の今置かれている状況を暗示しています。

「これからはイノベーションが大事だ」と言う人がいます。ハーバードなどのビジネススクールに行ってきたような人間が、しきりに「技術革新力で突破していく」と言います。「イノベーション」と言っていれば、一定の賢さが見え隠れするような話で、はやり言葉になっています。日本という国のイノベーションに決定的に欠けているもの、それを一言で言うと、私は「総合エンジニアリング力」だと思います。

日本はマスクが足りないとなったら1カ月でマスクが溢れる国ですが、みんなで力を合わせて乗り越えなくてはいけないようなプロジェクト・エンジニアリング力に欠けている。日本は楽をして成果を上げる方向にいつの間にか傾斜してしまった。自分を実力以上に大きく見せることにだけ腐心して、ファンダメンタルズを踏み固めることを忘れている。これが日本の今置かれている状況の最大の問題だと思います。

ファンダメンタルズが意味するものは、食と農、医療・防災などです。工業生産力モデルを追うがために忘れてきたことです。

北海道は食と農の大きな起点で、217％という食料自給率を誇っている。都道府県別の食料自給率を見ると、北海道は217％ですが東京都は0％、神奈川県は2％程度。ロジスティックスが動いているので食料パニックになっていませんが、2045年までの厚生労働省の人口予測では、北海道はこれから30年間で人口が25％減ることになっています。人口が300万人台に落ちる。よほどの変更要素が働かない限り、その方向に進んでいってしまうでしょう。高い食料自給率を維持できなくなるかもしれません。

今、日本では一体どういうプロジェクトが進んでいるのか。たとえば、私が率いている(一財)日本総合研究所が中心となって全国の道の駅を防災拠点化するプロジェクトを推進しています。われわれは「命のコンテナ」と呼んでいます。

付加価値の高いコンテナは水と食料とエネルギーです。エネルギーを生み出す電力を蓄電しておけるコンテナ、海水を淡水化したり泥水を真水化したりするコンテナ、さらには医療行為ができるコンテナ、電源さえ確保できれば歯科医療のできるコンテナ。それらをいざというときのためにその地域の戦略に応じて集積しておきます。「コンテナ」とは、自衛隊の大型ヘリコプターで運べる最大級のコンテナで可動できるものを意味します。

これからは、日本のポテンシャルを安全と安定のための産業基盤をつくる方向にもっていかなくてはいけないというのが、ファンダメンタルズという言葉に込めた意味です。

時間が来てしまいましたので話を終えますが、この講演で「ああ、そういうところを深める必要があるのか」と気づいた人は、ぜひフォローアップしてください。この第1回の講座があとの人たちによって、より深く展開されることを期待して、私の役割を終えます。

第1章

講義のポイント

1 日本における歴史認識のプラットフォームは「明治期」「戦後期」「未来圏」。それぞれを77年間で考え、しっかりとした時代認識を踏み固めるべきである。

2 「戦後期」に日本のGDP世界シェアは17.9%（1994年）をピークに、4.2%（2022年）に下がった。

3 「未来圏」の始まりにある日本が抱える最大の問題は危機感がないこと。

4 これからの日本経済を考えるときのキーワードは「アジアダイナミズム」「日本海物流」。

5 日本はファンダメンタルズ（食と農、医療・防災）を強固にしていくべきで、北海道は食と農の大きな基点となる。

第 2 章

2023年に突然きた、ChatGPTの威力

生活協同組合 コープさっぽろ CIO ／ロケスタ 株式会社 CEO

長谷川秀樹

ロケスタ㈱代表取締役社長、（生協）コープさっぽろCIO、ブックオフグループホールディングス㈱社外取締役。1994年にアクセンチュア㈱に入社後、国内外の小売業の業務改革、コスト削減、マーケティング支援などに従事。2008年㈱東急ハンズに入社、11年執行役員に。その後ハンズラボ㈱代表取締役社長、㈱メルカリ CIOなどを歴任。

インターネットやスマホを超えるインパクト

僕は1994年にアクセンチュアという会社に入社して、営業支援システムを構築する200人ほどのプロジェクトに配属されました。そのとき、先輩に「このプロジェクトはいったい何をやるんですか?」と聞くと、「顧客の名前や住所を登録するんだ」と言います。「それをどう使うんですか?」と聞くと、「あとから見ることができるんだよ」と言う。「はっ?! それだけ?」と驚きました。じつにがっかりしました。

たとえば、マップ上で札幌市をクリックすると、まだ営業をかけていない企業名がずらずらと出てくる。そのようなものかと思っていたら全然違っていたのです。

95年にはインターネットが普及して家庭のコンピューターが世界とつながりました。いきなり、どんな情報でも簡単に手に入れられるようになったのです。それまでは企業のコンピューターのほうが、家庭のコンピューターよりもはるかに優秀でした。スーパーコンピューターなど高性能なコンピューターは、富士通のような企業でしか使えなかったのですが、誰もがインターネットを使えるようになり、やがてさまざまなクラウドサービスが登場し、企業のITが顧客向けＩＴに負ける時代になっていきました。

今、スマートフォン（スマホ）を使い慣れた人が会社に入り、企業のシステムがつくったものを使うと「なんて使いにくいんだろう」と思うでしょう。「なぜ、普通にスマホやウェブでやっているのと同じようにできないの？」となる。

ｉＰｈｏｎｅが日本で発売されたのが２００８年で、「昔のスーパーコンピューターよりもスマホのほうが性能がいい」と言われるようになりました。日常生活では、電話、腕時計、手帳、カメラ、時刻表、地図、電卓、ミュージックプレイヤー、財布などが、スマホ1台で代替できるようになっていきました。

このようにＩＴの歴史を見ると、インターネット、スマホが出てきたことのインパクトが非常に大きいのですが、23年、激震が走りました。「ＣｈａｔＧＰＴ（チャットＧＰＴ）」の登場です。

ここでは、まだチャットＧＰＴを使ったことのない人に向けて、いったい何ができるのかを話していきます。このトレンドは急にやって来て、ここからグッと伸びていきます。皆さんは毎日インターネットを使っていると思いますが、これから、それと同じくらいチャットＧＰＴを利用するようになるでしょう。

チャットＧＰＴで何ができるか

チャットＧＰＴは、アメリカのオープンＡＩ社によって開発された対話型ＡＩ（人工知能）です。大規模言語モデル（ＬＬＭ）の技術をもとに開発されました。

図表（左ページ）を見てください。用途、企業のメリットなどが挙げられていますが、これはじつは「チャットＧＰＴの概要を教えてください」とチャットＧＰＴに質問して、出てきた回答そのものです。ごく自然な日本語です。

チャットＧＰＴは「ジェネレーティブＡＩ」、日本語で「生成ＡＩ」と呼ばれる人工知能システムです。「何かを聞いたら、答えを教えてくれるもの」と思うかもしれませんが、そうではありません。何かをジェネレート（生成）してくれるところが、グーグル検索と違います。

グーグルは、「これどういうことだろう？　ググって（検索して）みよう。あ、そんな意味なのか！」という使い方をしますが、チャットＧＰＴは、何かをつくる目的があって、それを命令するとつくってくれる。「〇〇について教えてください」という使い方をしてもいいのですが、これではググっているのと何にも変わりません。

図表　ChatGPTが作成した「ChatGPTの概要」

ChatGPTの概要：
a. ChatGPTは、OpenAIによって開発された大規模な言語モデルで、GPT-4アーキテクチャをベースにしています。自然言語処理(NLP)技術を利用し、人間のような会話や文章生成が可能です。

用途：
a. ChatGPTは、様々な用途に使用できます。例えば、カスタマーサポートの効率化、コンテンツ作成支援、デジタルアシスタント、FAQ回答、教育目的の質問応答などです。

企業へのメリット：
a. ChatGPTの導入により、効率化やコスト削減が期待できます。また、従業員がより重要な業務にフォーカスできるようになり、全体的な生産性が向上します。

機能と制限：
a. ChatGPTは、豊富な知識を持っているものの、2021年9月までの情報しか持っていません。また、時々誤った情報を提供することがあるため、信頼性の確認が重要です。

倫理的懸念とAIの使い方：
a. AI技術の進化に伴い、倫理的な問題も浮上しています。偏見のないデータセットを使用し、プライバシーに配慮した使い方が求められます。また、AIの導入による雇用への影響にも注意が必要です。

かつてＡＩが登場したときに騒いだのは一部のＩＴエンジニアだけで、一般の人、たとえばマーケターやファイナンスの業務をやっている人も、学生も使いこなせなかった。一部のエンジニアが「ＡＩ、ＡＩ」と言っているだけでした。

しかし、今回のチャットＧＰＴは、テックエンジニアではなく、むしろ一般の人たちが盛り上がっているのが大きな違いです。

チャットＧＰＴは「対話形式」です。会話によって回答を得るのですが、やりとりを繰り返すことで回答がどんどん改善されていきます。返ってきた答えに深掘りを要求すると、前の検索結果に関係なく新しい答えをインターネット上に探しにいきます。

たとえば、「日本の人口問題についてどう考えていますか？　教えてください」と文章を入れると、人口問題の解決法が10くらい出てくる。10は多いなと思ったら「3つにまとめてください」と書くと3つにまとめてくれます。このように対話形式で、回答に対してリクエストを出すと、それに対して新しい回答が戻ってきます。

入力にコツがあります。グーグル検索では「単語・スペース・単語・スペース・単語」という形式で検索語を入力しますが、チャットGPTでは文章を入れます。入力する文章を「プロンプト」と言います。

たとえば、4000文字くらいの長い文章があるとき、「この文章を300字で要約してください」と頼むと300字にしてくれます。「川端康成の『雪国』の感想を教えてください」と頼むと感想文をつくってくれます。

「日本の少子化対策はどうしたらいいですか？」と質問すると回答が出てきますが、オリジナリティのある答えは返ってきません。インターネット上にある少子化対策に関する膨大な情報を平均し整理して、意見を並べてきます。「まあ、それはそうだよね」というものを返しがちです。

表現を変えることもできます。「フォーマルな文章に書き替えて」と書くとフォーマルな文章にしてくれるし、「友だちにしゃべっているような軽いノリで書き替えて」と言うとそうなる。これもチャットGPTの特徴的な点です。

ちなみに、チャットGPTからすれば、英語も日本語もプログラミング言語も同じ言語です。ですから日本語をプログラミング言語に翻訳することもできます。

簡単なところから試してみましょう。歌詞をつくってもらいます。「コープさっぽろの歌をつくってください」と入力します。すると、「コープさっぽろ　共に歩む」「笑顔と共感」「北の大地」などの言葉を使って歌詞をつくってくれる。コープさっぽろが北海道にあることを知っているのです。もっといいものがほしいときは、「リジェネレート」というボタンをクリックすると違うバージョンが出てきます。再生成してくれるわけです。回答に対して「もっとこうしてよ」と再生成させます。これを何度もやってくれます。

教えてくれるのではなく「生成」してくれる

たとえば、皆さんは結婚式の披露宴に出席してスピーチをする機会があるかもしれません。親しい友人の場合はエピソードなども話せるでしょうが、会社の部下の披露宴に呼ばれて挨拶するときなどは、何を話せばいいのかわからないかもしれません。そんなときにチャットGPTが使えます。

「商社に勤める5歳下の新郎の田中君に向けて、3分で話せる分量で」などと条件を入れてスピーチ原稿をつくってもらうことができます。要素を加えながら、リジェネレートで何度も改定版を出すことが可能です。最終的にそこに自分で修正を加えて完成です。

文章をつくるのが苦手な人っていますね。僕もそうです。そんな人は、とりあえずチャットGPTで粗原稿をつくって、そこに手を入れて完成させることができます。

チャットGPTを使ってはいけないと言われるものに、子どもの読書感想文があります。自分で読んで、自分の考えを、自分の文章で書くことが求められているのに、チャットGPTを使えば簡単にできてしまうからです。

「『走れメロス』の読書感想文を書いて」と頼むと作文が出てきます。どう考えても小学生が書いたような文章ではないというものであれば、「小学生が書いたようにつくって」と指示すると、いきなり「『走れメロス』はすごく感動するお話だよ」という具合に変わる。「メロスという主人公が、お友だちを助けるために駆けるんだ。メロスの勇気にはすごく感動する」など、ここまで砕けていいのかというくらい小学生の作文っぽくなります。

チャットGPTは10種類ほどの表現形式を備えているようです。「フォーマルに」「もっとカジュアルに」「小学生がつくったみたいに」などと微調整ができます。「関西弁で」と指示すると関西弁の文章が出ます。「めっちゃ、感動するねん。メロスと主人公がお友だちを助けるために走るんや。これはほんまにグッとくるわ」などとなります。

女性が書くのだから女性っぽい言い回しを入れてと言うと、そのようにつくってくれます。これが冒頭に言ったジェネレート（生成）です。何かを聞けば教えてくれるというのではなく、何かを生成してくれる。聞くのではなくて、ネタを入れて生成してもらうのです。

ビジネスで活用する

ビジネスではどのように使えるでしょうか。

これは実際に私が体験したことですが、〇〇カレーのチェーン店がフードテック※に力を入れたいというので、まずチャットGPTに「フードテックのポイントを教えて」と聞きました。すると、「食品の持続可能性」「予測分析とデータ活用」など6つ出てきました。「もっとほしい」と要求すれば7つ目以降も出てきます。ただ途中で止まります。文字数制限があるため、あ

※フードとテクノロジーを組み合わせた言葉。テクノロジーを活用して、新しい食品や調理方法を生み出したり、食に関する問題を解決したりする。

る程度の文字数になると止まる。そこで「続き」と打つと、続きが出てきます。「もっとないの？」と打つと延々と出てきます。このように、「フードテックって何だろう」と考えなくても、フードテックの要素をたたき出せるところも非常にいい。ただ、僕が求めているのは「食品の持続可能性」などではなく、もっと技術的なことだったので、「○○カレーチェーンに関係のあることだけを教えて」と聞いてみます。すると、「代替肉は～」とか「オンラインの食品注文」など、カレーチェーンが取り組めそうなものに絞って返してくれる。

チャットGPTには、できるだけ多くの情報を与え、質問をシャープにして、絞った答えを出してくれるような書き方がよいようです。オープンクエスチョンや壮大な質問では回答内容が深まっていかないので、質問を絞って、フードテックに関しても「カレーチェーンが使えるようなフードテック」とか、もしキッチンで食品をつくる工程を自動化したいのであれば「食品工場のロボットでつくる方法は何かありますか？」などと入れます。

「どの会社に頼んだらいいのか」と聞くと、フードテックを提供している企業名が出てきます。また、ビヨンドミート（代替肉を製造する企業）を調べてみて面白そうだと思えば、「ビヨンドミートについてもっと詳しく」と言うと、そこから深掘りして詳しい情報を返してくれます。

もし、これをググると、概要を調べて、概要がわかったらまた検索して、詳しいサイトなどを探しまくる羽目になりますが、チャットGPTは、会話を進めることで、自分の思った方向に持っていけるので、資料の作成やアイデア出しなどに有用です。

「謝罪メール」を書いてもらう

次に謝罪メールをつくってもらいましょう。初めて謝罪メールを書くときにはどんな文面が適切なのかわかりません。そこで、次のように具体的な内容をチャットGPTに入れて書いてもらいます。

以下の内容を踏まえて、田中さんに対する謝罪メールの文書をつくってください
・私は田中さんの給与計算を間違えてしまい、本来50万円の給与のところ、5万円の振り込みをしてしまった
・もう振り込み手続きは完了しており、現時点では修正することは不可能
・翌月に差分の45万円を振り込む
・私が個人的に、寿司をおごるので許してほしい

・なお、社長には間違っても本件を漏らさないようにしてほしい

自分で文章をつくろうとすると、「社長には漏らさないで」というのはどんな表現がいいのか迷うところです。能力の高いＧＰＴ-４・０（有料版）を使うと次のような文章が出てきました。

件名：【大変申し訳ございません】給与計算に関するお詫びとお知らせ

田中様、

いつもお疲れ様です。私、○○（あなたの名前）でございます。

誠に勝手ながら、先日の給与計算について大変重要なご連絡がございます。先に結論から申し上げますと、誠に申し訳ございませんが、田中様の給与計算を誤ってしまいました。本来であれば50万円の給与がお支払いのところでございましたが、私のミスにより5万円の振り込みとなってしまいました。この度は、大変ご迷惑をおかけし、誠に申し訳ございません。

既に振り込み手続きは完了しており、現時点での修正は不可能であることをお詫び申し上げます。ただし、翌月の給与振込時に差額の45万円を追加でお支払いさせていただくことが可能でございます。このような形での対応となりますが、何卒ご理解いただけますと幸いでございます。

謝罪の気持ちをあらわしながら、具体的な内容を書いてくれています。さらにここから、すごくいい文章が続きます（原文ママ）。

私としましては、田中様にご迷惑をおかけしたことを心よりお詫び申し上げたく存じます。そこで、個人的にお寿司をご馳走させていただくことをご提案させていただきます。時間が許すようでしたら、どうぞお気軽にご申し付けください。

自分ではなかなかこういう文章は書けません。

最後にお願いがございます。本件について、社長にはなるべくお知らせしないよう、ご配慮いただけますと大変助かります。重ね重ねお詫び申し上げますが、何卒ご理解のほどお願い申し上げます。

そして、「この度は、大変ご迷惑をおかけしまして、誠に申し訳ございません。今後ともどうぞよろしくお願いいたします。」と締めています。
とても丁寧な文章ですが、この文体を軽くすることもできます。「もっと軽いノリで友人に言うように作成して」と入れると、次のような文章が出てきます。

件名：ヤバいミス…ごめん！給与の件でお願いがあるんだ！
田中くん、
どうも！　〇〇（あなたの名前）だよ。最近どう？　ちょっと聞いて欲しいんだけどさ、あのさ、すごくやらかしちゃったんだよね。
実はさ、君の給与計算をミスっちゃって、本来50万円振り込むべきところを、なんと5万円を振り込んじゃったんだよ。マジでごめんね！

件名から違います。名前も「田中くん」になっています。「すごくやらかしちゃったんだよね」なんて表現はなかなか思いつきません。最後は、「あと悪いけど社長に内緒にしておいてくれると助かるんだ、なんとかやり過ごしたいんだ。で、せめてお詫びがしたいから、寿司でもおごらせてくれるかな？　また連絡してくるね。」と締めています。ここは日本語が変ですが、こんな文章も簡単にできるのです。

「始末書」を書いてもらう

もう1つ文書をつくってみましょう。始末書です。これはGPT-3・5(無料版)でやってみます。

始末書をつくってください。以下の条件で
・始末書作成者はコープさっぽろCIO長谷川秀樹
・2023年の3月1日に損失があることを確認したこと
・2000万円の損失を出してしまったこと
・部下の緒方さんの発注ミスにて起こったこと
・部下の責任ではなく自分の責任である始末書にしたいこと

すると、こういう文章が出てきます。

2023年3月1日、私は損失が発生していることを確認しました。この損失の金額は2000万円にも及びます。私自身がこの損失を引き起こしてしまったことを深く反省しております。

この損失は私の部下で緒方さんの発注ミスによって引き起こされました。しかし、私は発注ミスに対する監督責任を果たせなかったことを自覚しており、そのため、この始末書は私の責任として提出させていただきます。

以下は省略しますが、部下の責任ではなく自分の責任と書いてほしいという希望をちゃんと踏まえて作成してくれています。さらに「緒方さんは信頼される部下であり、通常はとても正確かつ、責任感のある~」と部下のことを持ち上げています。

これもゼロから書こうとすると非常に難しい。皆さんが、始末書を書くときはチャットGPTにドラフトをお願いしてもいいのではないかと思います。

商品のキャッチコピーをつくってもらうこともできます。通常はコピーライターや広告代理店のプロに頼みますが、チャットGPTに生成してもらいます。

キャッチコピーをつくってください。以下の条件で
・スーパーマーケットで販売するデザート
・ふわふわの高級食パンを使ったフルーツサンド

すると、「至福のひととき、ふわふわ食感の極上フルーツサンド」と出てきます。まずまずですが、1本だけでは上司に叱られそうだから10本くらい用意します。「10個くらい教えて」と頼むと、「極上の贅沢。ふわふわ食感の高級デザート」「夢心地のデザート。ふんわり食パンのフルーツサンド」「贅沢な舌触り。極上のふわふわフルーツサンド」などとつくってくれます。これくらい提案すれば上司も満足してくれるでしょう。

プログラミングもできる

チャットGPTは文書やコピーの作成だけでなく、プログラミングもできます。先に触れたように、日本語の仕様をプログラミング言語に変換することが可能なのです。たとえば、ウェブ

サイトの構築を頼むときには、以下のように入力します。

レストランで、食後のお客さん向けにアンケートフォームのウェブサイトを構築したい。以下の条件で

・PHP言語でつくって

・聞きたいことは、「また、このお店を利用したいか?」5段階で利用したい度合いを聞きたい。また、その理由も聞きたい

・住所の登録欄に、郵便番号を入れたら住所が自動表示されるように

これをGPT-4・0に頼むと、レストラン向けのアンケートのウェブサイトをつくるための概要とPHP(プログラミング言語)のサンプルコードを示してくれます。プログラムを書く人でなければわかりにくいと思いますが、コピーコードが表示されますから、そこを押して、自分のエディターに貼り付けて実行ボタンを押せばほぼ完成です。気になる点を補正すればいいレベルまでチャットGPTがつくってくれます。

人事評価のようなこともできます。「評価の点数化」です。

たとえば、チャットＧＰＴに『桃太郎』の物語を読み込ませて要約させ、「登場人物のリーダーシップの評点と、その理由を教えてください」と指示すると、桃太郎、イヌ、サル、キジの評点が出ます。「桃太郎9点、その理由は～」「イヌは6点、その理由は～のときの行動が～だったから」などという具合です。これもまた面白い機能です。もちろんコンピューターが考える評点なので正しいかどうかは別です。

僕自身の評価もやってみました。「東急ハンズやメルカリに勤めていた長谷川秀樹は、ＣＩＯとしての評価は10段階でどれくらいですか」と質問を入れてみました。すると、「長谷川秀樹さんというのは、公開情報があまり多くなくてよくわかりません。しかしながらメルカリ、東急ハンズで執行役員をやったということは、それなりの～なので、たぶん8点でしょう」というふうに返ってくる。こうした理由でこの点数だというロジックを示しながら、「わからないながらもこうだと思います」と人間っぽいところもあります。

アンケートを分類することもできます。

「以下のアンケートを要約、分類してください」と指示してアンケートの結果を入れると、そのとおりにしてくれます。アンケートの回答が何万件あっても、件数の多いもの順に並べ替えることができます。これは仕事に使えます。

より高度なことでは、思考パターンに沿って回答させることもできます。

ある経営者の思考パターン、たとえばその経営者がいつも口にしている経営10箇条などを読み込ませれば、こんな経営状態のときにその人は何と言うか、それを再現してくれるのです。

チャットGPTからアドバイスを受けることもできます。先人がどういうときどんな行動をとったのか、あるいはその先人の知恵などを教え込んでおけば、自分が何か課題にぶち当たったときに解決策を聞くとアドバイスしてくれます。

人生相談もできます。「老後が心配だ。どうしたらいい?」と相談を投げかけてみます。すると、「スキルを活かして副業やボランティア活動をすることで、老後の生活に役立てることができるかもしれません」などと回答してくれます。

さらに、仕事で使えるやり方を紹介しておきましょう。

僕らが通常、マイクロソフトのエクセル、グーグルのスプレッドシートで書いていく作業が、チャットGPTでできます。企業の強みを知る方法にSWOT分析※というものがありますが、これをチャットGPTにやってもらうのです。GPT関数というものを使います。

たとえば、「イオンのSWOT分析の強みを教えて」と指示します。すると、イオンの強みは「大規模な店舗ネットワーク」「ブランド力」「多彩な商品ラインナップ」「プライベートブランド

※Strength(強み)、Weakness(弱み)、Opportunity(機会)、Threat(脅威)の4要素によって、企業や事業の現状を分析する手法。

の強み」「オムニチャネル戦略の推進」などと出てきます。5つ出すこともできれば、7つに増やすことも3つに絞って出してもらうこともできます。

もし自分が投資家で100社ぐらいの分析をやらなくてはならないとか、株価に対する利益率の表をつくって並べるとなったら大変な作業になります。しかし、チャットGPTに企業名を並べて関数で走らせれば、一気に作業を進められます。

専門知識の領域でも活用できる

さて、ここまでチャットGPTとは何か、チャットGPTで何ができるのか、仕事にどのように役立つのかを実例を示しながら説明してきましたが、ここで整理しておきましょう。

1つは「資料作成の効率化」です。それに使えるのが「リサーチの能力」と「文章作成・校正の能力」。もう1つは「専門領域の情報の整理」です。

実例で示したように、チャットGPTが調べものをするのに大変役立ち、資料作成の効率化につながることはご理解いただけたと思います。ググってリサーチするのもいいのですが、チャットGPTに聞いてリサーチすると質問の繰り返しによって情報を絞ってくれます。新しいリサーチの方法としてはいいのではないかと思います。

「文章の作成・校正」の面では、スピーチの文章でも提出するレポートでも、「300文字にまとめろ」「もっと長く書け」「オフィシャルな言い回しで書いてくれ」などと要求することで、ほしい文章をつくってくれる。ただ、そのためには、いいプロンプトを書く必要があります。「この表現方法で」「ファクトデータで」など、いいプロンプトを書くといい生成がされるのですが、悪いプロンプトだと使えないものしか生成されません。プロンプトを磨く必要があります。

チャットGPTには3・5と4・0とがありますが、4・0は、司法試験の合格者の上位10%の能力があると言われています。過去の判例、法律などをインプットすれば、相当な判断ができるということです。最終判断は資格を持った専門家が行いますが、こうした専門知識が必要な領域でもチャットGPTを活用できる場面が増えていくでしょう。

チャットGPTはエクセルやスプレッドシートと連動していると紹介しましたが、オープンAI社はこれからさまざまなサイトと連動していくことを表明しています。たとえば旅行サイトとか、あるいはレシピサイトなどです。

「こういうものが食べたい」と言うと「こんなレシピどうですか」とか、「こういう旅行がしたい」「一生に一度だけ、初めての体験をしたくて、それを暖かい地域でできる何かありませんか」

とリクエストを書くと、「こういうパッケージツアーはどうですか」「○○ホテルは幻想的な雰囲気が味わえますから、すごくいいと思います」などとアドバイスをしてくれるようになります。今は、旅行サイトを使っても、どこに行きたいのかは、自分で考えて選ばなくてはなりませんが、チャットGPTを使えばアドバイスを自動化してくれます。

すでに十数社がチャットGPTとの連動を発表しています。残念ながら、日本の企業はまだですが、これからが楽しみです。ここでは、自分でプロンプトを入力して使いましたが、自分たちが利用しているサービスの裏側のエンジンとして使われているというケースも増えるでしょう。知らないうちに間接的にチャットGPTを使っていることになります。

以前、IBMが「ワトソン」という質疑応答ができる人工知能システムを発表しました。しかし、大変高額なわりにエンジニアが一生懸命取り組んでもろくな回答が出てこない。ところが、2023年になっていきなりスーパースターが現れました。それがチャットGPTで、有料版が月額20ドルで使える。学生が2時間ぐらい働いたアルバイト代でここに紹介したような機能が使えるのですから、本当に素晴らしい時代になりました。

今日覚えてほしいのは、チャットGPTが彗星のように出てきたこと。そして、ぜひ皆さんに自分で試していただきたい。これから必ず普及しますから、今から慣れておいてください。

第2章

講義のポイント

1. ChatGPT（生成AI）の登場は、インターネット、スマートフォンに匹敵するインパクトを持つ。

2. グーグルの検索とは異なり、対話式で会話を繰り返すことによって回答が改善されていく。

3. いいプロンプト（入力する文章）を書くことによって、いい生成がなされる。

4. プロンプトに応じて、文章作成、プログラミング、アンケートの分類、解決策のアドバイスなどを行う。

5. ビジネスにおいては、「資料作成の効率化」「専門領域の情報の整理」に役立つ。

第3章

ビジネスで創る新しい社会

ジャーナリスト

浜田敬子

1989年朝日新聞社入社。「アエラ」編集長を務めたのち退社し、2017年経済オンラインメディア「Business Insider」の日本版を統括編集長として立ち上げる。22年（一社）デジタル・ジャーナリスト育成機構を設立。22年度ソーシャルジャーナリスト賞受賞。TVで「羽鳥慎一モーニングショー」などのコメンテーターを務める。著書に『働く女子と罪悪感』（集英社文庫）、『男性中心企業の終焉』（文春新書）など。

「課題先進国」日本の現状

今日は、若い人たちが今どのように社会を変えようとしているのか、それをお話ししたいと思います。皆さんの中に「明日から少しでも社会を変えたい」と思っている人がいたら、ぜひ一歩踏み出してほしい。そういう願いを込めてお話しします。

今、日本は「課題先進国」と言われています。課題の1つは少子化、人口減少です。

２０２３年に18歳を迎えた人は１１２万人でしたが、22年に生まれた子どもは77万人。この20年ほどの間に生まれる子の数は35万人も減りました。

少子化によって人口が減少すると、どんな問題が起きるでしょうか。まず働き手がいなくなります。今、インバウンドで大勢の外国人が来ていますが、フル稼働できていないホテルがあります。泊まりたいお客さんはたくさんいるのに、働き手が足りないので半分くらいの部屋が稼働できないというホテルがあるんです。労働力不足によって経済の規模が縮小することを、リクルートワークス研究所では「労働供給制約社会」と名付けましたが、労働力が不足することによって、本来稼げるチャンスが失われているのです。

2023年の連休には、新宿の牛丼の吉野家が午後4時に店を閉めざるを得ないということもニュースになっていましたよね。夕方から深夜にかけて働くアルバイトが集まらないことがその原因でしたが、今吉野家に限らず小売や飲食店では、時給を上げてもなかなか人手が確保できない状況が続いています。

これは東京に限らず、地方ではもっと深刻ですよね。すでに人手不足で困っている業界は、飲食、物流、介護、農業、建設と言われてきました。たとえば物流。今はアマゾンで注文すれば東京では翌日に商品が届きますが、配達員の不足によって翌日配送のサービスが受けられない日が来ると言われています。さらに日本全国で見ると、全国どこでも配達できるという状況ですら、今のままではあと数年で厳しくなってくるとも指摘されています。

介護業界や農業では多くの外国人の労働に頼っていますが、今後その外国の人たちが日本を働く場として選んでくれる保証もありません。皆さんは「安い日本」という言葉を聞いたことがありますか？　日本の賃金はこの30年間でほとんど上がっていません。その間に欧米の賃金はどんどん上がって、たとえば介護業界の最低時給はドイツでは1400円くらいです。介護人材は、高齢化が進むどの先進国も不足しており、外国人人材に頼っています。ドイツでもベトナムからの人材に頼っていますが、彼らはより稼げて、労働環境のいい国に行きます。今や介護人材に限らず、さまざまな分野で国家間での労働力の奪い合いが起きているのです。

日本の場合、外国人の人権が軽視されていることも問題です。在留資格が切れたときに収容される入管施設（入国管理センター）で、病気になったときに適切な医療が受けられなかったウィシュマ・サンダマリさんのことがニュースになりました。このように、労働環境が悪い、人権が守られないということでは、外国人はもう日本に来てくれなくなる。このままでは、日本は「外国人からも働く場として選ばれない国」になってしまいます。

日本は「ジェンダー後進国」とも言われます。世界経済フォーラムが毎年発表している2023年のジェンダーギャップ指数ランキングで、日本は146カ国中125位で、この数年順位をどんどん下げて、先進国の中で最下位です。

このランキングは、教育・健康・政治・経済の4分野の指標を総合したものですが、教育では日本は47位、健康では59位と中程度なのに、政治は146カ国中138位。経済が123位と大きく足を引っ張っています。政治は端的に女性の政治家が少ないからです。経済は経営層や管理職に女性が少ないこと、それと関連して男女の賃金格差が大きいことが原因です。

上位職にならなければ当然給料も上がっていかないので、格差は広がります。さらに言えば、日本では働いている女性の約半数が非正規雇用です。たとえば出産などでいったん退職した女性たちが再就職する際に正社員として雇用されることが非常に難しい。その非正規社員の多さも、男女の賃金格差を広げる一因となっています。

このように、日本には時代や環境変化に合わせて変えていかなくてはいけない課題が多くあるのです。だから「課題先進国」とも言われています。

日本の変革は歩みが遅すぎる

世界の国はどんどん変わっています。

ジェンダーギャップ指数ランキングが初めて発表された2006年、日本は79位で真ん中ぐらいでした。それより前の2003年には、日本は政府目標として、2020年までに指導的地位における女性の割合を30％にする「202030」という目標を掲げています。指導的地位とは、議員や首長、企業では経営層や管理職、教育界では学校の校長など、あらゆる組織の意思を決定する立場ということですが、ここに女性を必ず3割入れるという目標を世界でも早いうちに政府は打ち立てていました。ですが、2020年にまったく達成できていません。たとえば企業の管理職比率は13％程度ですし、衆院議員における女性の割合は1割です。

日本の企業も何もしてこなかったわけではありません。圧倒的に歩みが遅いのです。ジェンダー平等やダイバーシティに関して喩えて言うならば、日本では時速50キロメートルで走っていたのが60キロメートルくらいになりましたが、欧米では80、100キロにギアを上げて変革を進めているといった感じです。欧米でも最初からジェンダー平等が優先課題として進められていたわけではありません。かつては女性の社会的地位は低かったのです。ですが、人権意識が高まった80年代、90年代に男女平等へのギアを切り替え、変革を進めているのです。

ノルウェーやドイツでは、意思決定層に女性を一定割合入れるクオータ制度を導入して30％を達成しました。EUは2026年に向けて、全上場企業において社外取締役で4割、社内取締役で3割以上を少ないほうの性にする（少ないほうの性は大抵女性ですが）というルールを決めています。

私はいずれダイバーシティやジェンダー問題でも気候変動問題と同様のことが起きるのでは、と思っています。気候変動問題では、たとえばアップルという企業は自社のサプライチェーンに入る企業に対して再エネ100％で生産することを求めています。ダイバーシティに置き換えると、たとえば、欧米の企業から日本企業に対して、「女性管理職が30％に満たない企業とは取引しない。サプライチェーンに入れない」という話が起きてこないとも限らないということです。今、「ビジネスと人権」という概念も重視されるようになりました。もっと本気で、もっとスピーディにこの変革を進めていく必要があると思います。

消費者の姿勢も問われている

もちろん、日本にも変わろうとしている企業があります。ジェンダーに関しては、リクルートのように経営層、管理職、社員のすべてのレベルにおいて女性を50%にと宣言して、取り組んでいる企業も出てきています。さらに資本主義そのものの在り方、企業の在り方そのものにも問題提起をしている企業も出てきています。

中川政七商店は本社を奈良に置く創業300年の会社で、元は手績み手織りの麻織物をつくり続けてきた会社ですが、現会長の中川淳(じゅん)さんは経営を引き継いだときに、そもそも日本全国で手仕事の職人が減ってきているという課題に直面しました。このままでは、日本の職人が持っている技術がなくなってしまう。

そこで、さまざまな地域の職人、工芸品をつくる会社の製品を集めて売るようにしたり、そうした地域の会社に対してコンサルティングを行い、ブランディングを支援することもしています。自社だけが稼げばいいというのではない。みんなで持続的にビジネスを続けるためには何が必要なのか。それを考え実践している経営者です。

その中川さんは、「僕たちはライフスタイルではなく、ライフスタンスを売っている」とおっしゃっています。つまりどんな会社からどんな商品を買うのか、消費者もその消費行動が問われるわけです。たとえば皆さんは1枚９００円のＴシャツを買うときに、誰がどこでつくったものかを考えることはありますか？　Ｔシャツを数百円でつくる人たちの賃金はどれくらいか、考えたことがありますか？

この問題がクローズアップされたのは、今から10年ほど前です。

２０１３年、バングラデシュの首都ダッカ近郊にあった、商業ビル「ラナ・プラザ」が崩落したことによって、１０００人以上が死亡するという大事故がありました。このビルには世界のファストファッションの工場がありました。老朽化が指摘されていたにもかかわらず、放置されたことで、ビルが崩れて、多数の死傷者を出したのです。

そのニュースは世界に発信され、私たちが普段着ているものが、いかに途上国の人たちの安い労働に依存しているか知れ渡りました。安い商品には、その背後に劣悪な労働環境、安い賃金に泣いている人がいるのです。それから、そうした背景を考えてモノを買おうという運動が始まりました。

中川さんは今、新しく「これからの時代のいい会社」を考え実践する「ＰＡＲａＤＥ（パレード）」という会社をつくりました。パレードには中川さんの考えに共感した企業がいくつか集まっています。その1つに山下貴嗣さんの経営する「Ｍｉｎｉｍａｌ（ミニマル）」というチョコレートの会社があります。

ミニマルのチョコレートは1枚で１０００円もします。スーパーやコンビニで売られているチョコレートには1枚１００円や１５０円のものもあるので、高いと感じられるかもしれません。ですが、チョコレートの原料となるカカオを栽培する農家に、適正な金額を支払おうとするとそのぐらいの金額になってしまうのです。逆説的に言えば、安いチョコレートには、どこかにその安さに「泣いている」人がいるのです。

山下さんがこの価格でチョコレートを販売している背景にはそうしたチョコレートをめぐる環境を知ってほしいという思いもあります。そしてその価値を理解し、ミニマルの企業姿勢に共感する人たちが、１０００円のチョコレートを買っているのです。

日本にもこうした動きが、この数年生まれてきています。小さな企業や地方から変化が起きています。そうした取り組みをいくつか紹介しましょう。

地域を活性化する取り組み

地域でとても面白い取り組みをしているのが、岡山県の西粟倉村（にしあわくらそん）です。西粟倉村は岡山と鳥取の県境、鳥取空港から高速道路で1時間ほどの山の中にある人口１４００人ほどの村で、面積の95%が森林です。この村は、「平成の大合併」と言われ、近隣自治体が合併を志向するなかで、合併をせず村単独で生きるという選択をしました。前村長も現村長も非常に先見性がある方で、どうやって村を持続可能にしていくかを実践してきました。前村長時代に「百年の森林（もり）構想」を立ち上げ、森林資源をどう活かしていくかを、住民みんなで真剣に話し合う仕組みをつくったのです。

日本の林業は本当に壊滅的な状況です。外国から安い木材を入れたために、国産木材は使われず、山は手入れをされないまま荒れ果てています。初めて西粟倉村を訪れたときびっくりしました。「手入れされた森林はこんなに綺麗なのか」と。真っ直ぐに杉が伸びていて、日光が下まで入るので木がよく育っている。百年の森林構想のもと、「国産の木材を使って、うちの村で起業しませんか」と訴えると、日本全国から若い人たちが大勢集まったのです。

村の木材でつくったバイオマスチップによってエネルギーも地産地消です。西粟倉村は山間地域で冬は雪深くなります。暖房のために灯油を外から買ってくると自分たちのお金が外に逃げてしまうことになる。ならば、エネルギーを自分たちでつくろうと、チップを使った暖房を使うようにしています。ほかにも小水力発電でエネルギーの地産地消を実践しています。

それだけではありません。自治体の「小ささ」を逆手にとり、さまざまな実証実験にも取り組もうとしています。たとえば車の自動運転の実験も行っています。村は高齢化率が高く、多くの住民がいずれ運転できなくなります。しかし、公共交通機関がないので、そうなると通院もできず買い物にも行けなくなる。自動運転が必要になるかもしれないと、実験の場所として名乗りを挙げたのです。小さい村だから住民の合意形成もしやすく、さまざまなチャレンジができるのです。

地域の課題への取り組みという点ではコープさっぽろの活動も今日的であると感じます。

コープとは生活協同組合で、消費者が出資者でもある組織です。通常の株式会社は消費者と株主が別の存在です。株主は株主の立場から会社の経営に注文を出すので、会社は株主を納得させるために短期的な利益を追求せざるを得ない側面があります。それが消費者のためにプラスにならないこともあります。たとえば、地域の人にとって大切な店を、採算がとれないからと閉店することもあるわけです。

しかし、出資者と消費者が一緒だった場合には、消費者が組織を支える側でもありますから、買って支えるケースもあるでしょう。自分たちが意見を言うことで会社や組織をよくしていこうという意識にもなります。私は協同組合の仕組みは、資本主義をよりよくアップデートしていくときに、もう少し見直されてもいいのではないかと感じています。

特定の地域だけで循環する「地域通貨」というものをご存じでしょうか？　コミュニティ通貨ともいいます。

神奈川県の鎌倉市にカヤックという会社があります。ＩＴ企業でゲームなどもつくっていますが、創業者の柳澤大輔さんは「地域資本主義」を掲げて「まちのコイン」というコミュニティ通貨をつくりました。特定の地域でモノを買ったりサービスを利用したりすることができる通貨で、地域のつながりや活性化に貢献します。鎌倉市、高知市、滋賀県など12の地方自治体と9の民間事業者が活用しています（２０２３年2月9日現在）。

北海道ではｅｕｍｏ（ユーモ）という地域通貨サービスがあります。代表の新井和宏さんは世界最大のヘッジファンドに勤めていましたが、リーマンショックのときに生き方を見直し、「地域のためになっている企業に投資をする」目的で鎌倉投信という会社を設立。その10年後にユーモを創設しました。

ユーモは、ニセコ町内だけで使えるＮＩＳＥＫＯeumo（ニセコユーモ）という電子通貨を発行しています。ニセコではふるさと納税の返礼としてもニセコユーモを利用しています。町内の加盟店でしか使えないので、ニセコユーモを使おうとすると、ニセコを訪れてその街で消費する。だから地域の中でお金が循環することになるのです。

また、別の使い方では自分が応援したい事業者にチップを上乗せできる仕組みもあります。私がユーモを扱っているお店の野菜をネットで注文するときは、ユーモのアプリから払います。対価だけ払ってもいいのですが、「この人の野菜はいつもおいしいからちょっとだけ上乗せしよう」とチップのようにして金額を乗せることができるのです。こんな面白い仕組みもアプリ１つでつくれるようになりました。

個人の能力とリソースを社会のために使う

日本が変化できない大きな要因として官や行政の仕組みがあります。民間が新しい試みをやろうとしても法律や制度がハードルになることもあります。そんな中でも、さまざまな取り組みがなされています。

台湾のデジタル担当大臣オードリー・タンさんはデジタル化が進む台湾の象徴的な人物です。彼がやっているのはシビックテック（ｃｉｖｉｃ＝市民、ｔｅｃｈ＝技術）と言われる、市民が自分のテクノロジーのスキルを活かして地域課題や行政の問題を解決する取り組みです。

台湾では新型コロナが流行したときに、マスクがどこで買えるかわかるアプリをすぐにつくり、市民に開かれたプラットフォームにしました。「ここでマスク売っているよ」「ここにあったよ」と市民が情報を提供して、それをアップデートしていく。このように市民の力でデジタルを運営していく。これがシビックテックです。

日本では「Ｃｏｄｅ　ｆｏｒ　Ｊａｐａｎ（コード・フォー・ジャパン）」という組織が立ち上がっています。代表の関治之さんはもともとヤフーなどＩＴ企業で働いていた人です。

東日本大震災が起こったときに何が一番足りなかったのかというと、情報でした。避難所はたくさんあるけど、どこの避難所に何が足りないか一覧できるものがなかった。「じゃあそれをつくろう」と、関さんたちがボランティアで、ＳＮＳを使ってプログラマーなどの仲間を集めて、市民から上がってきた情報をマップに落としていった。それがコード・フォー・ジャパンの始まりです。

コロナ禍では東京都のコロナ情報サイトを1日でつくりました。都では、とにかく少ない予算ですぐにつくってくれる人を探していました。関さんたちコード・フォー・ジャパンが手を挙げ、エンジニアに声をかけ、優秀なデザイナーの手も借りて、あっという間に大変使いやすいものをつくった。そのプログラムをオープンにしたことで、その後さまざまな自治体が自分たちのコロナ情報サイトを立ち上げるときに利用することができました。

つくったものを囲い込まずオープンにしていく。これはすごく新しいことですよね。今、コード・フォー・○○が80カ所以上にあります。全国の人たちが自分たちの地域でもデジタル化をやりたいということでコード・フォー・カナザワやコード・フォー・サッポロなどが立ち上がっているのです。

労働と報酬がセットになっていない。自分の余っている時間をちょっと人のために使うことで、滞っていた経済活動が回ることがあります。日本はどんどん人口が減っているので行政による公共サービスが厳しくなっていきます。公共インフラの維持すら難しくなっていく中、どうやって対応していくのか。ここにヒントがあり、すべての労働を対価としての報酬と交換するだけでないポスト資本主義的な仕組みがあると思っています。

こんな面白いチャレンジもあります。

今、日本のマンホールの多くが耐久年数を過ぎています。もし、ある会社が1個ずつ調べていったら膨大な時間と費用がかかります。でも、一般の人にゲーム感覚で自分の家の近くにあるマンホールをスマホで撮ってアップしてもらい、GPSと組み合わせれば、会社は「ここのマンホールはOK」などと判定するだけでいい。アップした人はポイントがもらえ、たまったポイントは何かと交換できる。こうすれば行政がこれまで税金を使ってやっていた事業がかなり軽減できます。マンホールを撮影してアップするなんてちょっとしたことです。1分もかからない労力で、しかも面白い。ポケモンGOみたいにやっていくわけです。

このように、誰かのために働きたいという人が時間をうまく使って社会を回していくのは面白い発想です。能力を会社のためだけに使うのはもったいない。人口が減っていく時代だから、自分たちが持っている能力、リソースを社会のために使う。それを望んでいる人も少しずつ増えていると思います。

東日本大震災後の起業家たち

ミレニアル世代、Z世代とは1980年以降に生まれた人たちのことですが、彼らはポストコロナ時代やポスト資本主義時代を生きなくてはなりません。この世代からすごく面白い起業家や社会起業家、NPOを立ち上げている人たちが出てきています。

彼らは、「ビジネスとして大きくすることよりも誰かのためになる仕事、社会のためになる仕事、地域を豊かにする仕事がやりたい」と言います。なぜそう思うようになったのか取材していくと、東日本大震災のときにボランティア活動に参加した人が多いのです。今の30代の人たちは、大学生、社会人になったばかりの頃に東日本大震災を経験し、ボランティアで東北の被災地に行ったりしています。そのときの体験が強烈なのです。

先のコード・フォー・ジャパンの関さんも震災での体験が起業のきっかけになったと言っていました。あのとき、「明日、自分たちの社会はなくなってしまうかもしれない。ずっと続くと思われていた社会や国というものは案外あっけないものなのだ」と思った。だったらそこに対して何かをしていきたい、その思いを抱えているのです。私はその世代をアフター・311世代と名づけています。自分一人だけが競争に勝って、自分だけが儲けるという考えを嫌う人たちが多いのが特徴です。

たとえば、そのひと世代前の起業家の中には、ビジネスで成功した結果、六本木ヒルズに住んでプライベートジェットに乗るなど、贅沢な生活を志向する人たちもいました。しかし、今は株式上場して大きな創業者利益をつかんだ人でも、そのお金を社会にどうやって還元していけるかを考えている人が出てきています。

最近であれば、メルカリを創業した山田進太郎さんは私財30億円を投じて「山田進太郎 D&I財団」をつくりました。理系に進学したい女性たちのための奨学金プログラムです。日本では理系に進む女性が少なく、工学部に女性が15%しかいないために女性のエンジニアも少ない。メルカリはダイバーシティを実現するためには、採用段階から女性のエンジニアを増やしたい。ただ、そもそも女性で理系を志望する人が少ないという課題に気づいた。そこで、理系に進む女性を支援する奨学金プログラムをつくったのです。

名刺管理サービスを提供するＳａｎｓａｎ（サンサン）社長の寺田親弘さんは、２０２３年4月に四国の神山町に高等専門学校（神山まるごと高専）を開校しました。学生像として「モノをつくる力で、コトを起こす人」を掲げ、起業家精神を学ぶことを主眼としています。

このように、これまでの起業家とは違う形でお金を使おうという人たちが増えています。

今、さらにその下の20代では、最初から社会の課題を解決するために起業するという人も増えています。共通するのはデジタルネイティブ世代であり、起業という挑戦に対してそれほど恐れていないということです。

かつて起業はとても勇気のいることでした。うまくいく人は少ない。企業で働くほうがリスクが少ないと感じるのは当然でした。しかし、今では失敗してもその失敗こそが経験や学びになる。もしダメでもそこから就職すればいいし、もう一回起業してもいいと、学生時代から起業する人も増えてきています。

震災で意識が変わっただけでなく、ミレニアル世代やZ世代は社会課題に敏感な人たちも増えています。たとえば、私の世代よりも今の学生のほうが奨学金を借りている人が多い。半数ぐらいの学生が奨学金を借りて、卒業するときに数百万の学生ローンを抱えているといわれます。彼らは「なぜ自分たちはこんなに経済的に苦しいのか」という問題意識を持っています。また、ジェンダーなどの人権意識、気候変動問題に対する関心も上がっています。

そういう若者たちがどのように起業しているかを紹介しましょう。

社会の課題を新事業で解決

岡村アルベルトさんは「ワンビザ」という会社を起こしました。

彼はペルー生まれで、父親が日本人、母親がペルー人。13歳のときに日本に来て、大学卒業後、入国管理局に勤めました。外国人へビザを発行する仕事をしていたのですが、日本語が不自由な人にはビザの手続きは煩雑です。うっかり在留期間を超えてしまって、不法滞在になってしまうことがある。これをなんとかしたいと考えました。

一方で、日本企業は人手不足に悩んでいて外国人に働いてもらいたい。日本企業にとってもビザの手続きは煩雑です。そこで、ワンストップでビザの手続きができる企業としてワンビザを立ち上げました。外国人を就労しやすくし、日本企業に外国人が働きやすい環境を整えてもらう仕事を自分の問題意識から始めたのです。

岡井大輝さんは、電動キックボードと電動アシスト自転車のシェアリングサービスを行う会社Ｌｕｕｐ（ループ）を起こしました。今は都市部を中心にした電動キックボードが中心ですが、インタビューを読むと、将来は、過疎地の交通問題に取り組みたいと言います。

人口減少で次々と地方の公共交通機関が廃止になっています。鉄道だけではなくバス路線も採算が取れないため廃止になっている。一方で高齢者による自動車事故は社会問題になっている。高齢者になったら免許を返納してくださいと言われますが、自動車がないと暮らせない地域がたくさんあります。何らかの交通インフラを整備しなおす必要があると考えて、まずは都市部での電動キックボードから始めたのです。

1番のハードルは法律の壁だったそうです。それまでにないサービスをつくろうと思ったときに、越えなければならないのは法律や制度です。公道を走ることを想定されていなかった電動キックボードサービスを始めるに当たって、何度も国と交渉し、実験に協力してくれる自治体を探し、一緒に協働し、壁を乗り越えて起業しました。

企業に勤めながら新規事業に取り組む

起業しなくても、企業に勤めながら新規事業として取り組んでいる人もいます。

これも地方の交通の課題に取り組んでいる例ですが、博報堂のあるチームは「ノッカル」という共助型公共交通を富山県の朝日町と組んで実施しています。人口1万人の朝日町にはマイカーが8000台もあります。公共交通機関がないからです。この8000台をなんとか活かせないかとライドシェアを考えました。

ライドシェアは世界的にUberが有名ですが、日本ではなかなか定着できていません。タクシー業界などが反対していたからです。しかし、そのタクシー業界も今、深刻な運転手不足に悩んでいます。

朝日町では住民のマイカーを使うことを考えました。「スーパーに行きたい」「病院に連れていってほしい」という高齢者がアプリを使ってご近所の人の車を予約する。しかし、ここにも法律の壁がありました。飲酒運転や交通事故をどう防ぐか。事故があったら誰が責任を持つか。地元のタクシー業界も反発する。そういうハードルを1つずつクリアして進めています。

今は「子どもノッカル」というサービスも始めました。子どもが塾や習いごとに行くときには、親が仕事を切り上げて送迎するのは大変です。その送迎をライドシェアでやります。

このように、大企業に入社して、地域の課題を解決する新事業を始めることもできます。

「食べチョク」という産直通販サイトをつくった秋元里奈さんは新卒でＤｅＮＡに入りました。ＤｅＮＡは今もっとも多くの若手起業家を輩出しているＩＴ企業ですが、秋元さんは4年ほど勤めたのち農業支援ベンチャーを立ち上げました。

秋元さんの実家は神奈川県の兼業農家でした。祖父の代まで畑をやっていましたが、後継ぎがいなくて農業をやめました。秋元さんは、同じように日本の兼業農家が廃業し、日本の食料自給率が下がっていることに問題意識を持ち、持続可能な生産の仕組みを考えました。そうして、生産者と消費者を直接つなぐプラットフォームをつくったのです。

もう1つ、キャディという非常に面白い会社を紹介します。

起業した加藤勇志郎さんは、大学を出てコンサルティング会社のマッキンゼーに勤めて、製造業のクライアントを担当しました。日本のモノづくりを支えている中小企業はさまざまな技術を持っています。世界的にここが日本の強みと言われているのですが、中小企業は20年前に比べて半分くらいに減っています。後継者がいないからです。なぜ子どもが継がないかというと、儲からないから。金型1個、ネジ1個をつくるのも発注者メーカーに価格をコントロールされる。新しい発注元を探そうにも、人手も十分ではないため、営業できない。結果として1社のメーカーに依存せざるを得ない構造になっています。

キャディでは、日本の製造業の多重下請け構造を見直して、発注者と下請け・孫請けをフラットな関係にし、町工場が大企業1社に依存しなくてもいいように、国内外さまざまな会社から受注できるプラットフォームをつくりました。今、部品の図面をＤＸ化する新しいサービスも始めて、非常に成長しています。アメリカやベトナムにも進出し、創業から数年ですが、大企業などから優秀な人たちがたくさん集まってきています。

このように、自分の問題意識からビジネスとしてさまざまな事業を始めた人たちがいる一方で、非営利組織を立ち上げて活動している人たちもいます。

自分がリーダーになって社会を変える

渡部カンコロンゴ清花さんは、難民を支援する「ＷＥＬｇｅｅ（ウェルジー）」というＮＧＯを立ち上げました。学生時代から難民支援の活動を行っていた方です。

難民の人たちの中には、母国では大学でエンジニアをやっていたなど、さまざまなスキルや知見を持っている人がいますが、日本に来れば難民としか見られない。彼女は、これはもったいないと考え、企業と難民をつなぐプラットフォームをつくって、難民認定を受ける以外の道でその人たちが日本に滞在できる道を開きました。グローバルにビジネスを展開していきたいと考える日本企業にとって、アフリカやアジアに進出していくときに、社内にその国から来ている人がいれば心強いわけです。そんな仕組みをつくっています。

「かものはしプロジェクト」は、本木恵介さんが大学時代に立ち上げたＮＰＯ法人で、カンボジアやインドで児童買春や人身売買問題に取り組み、カンボジアは彼らの活動によって児童売買春がほぼゼロになったと言われています。現地の警察とも組んで活動しています。

ＮＰＯ法人「Ｈｏｍｅｄｏｏｒ（ホームドア）」は大阪で生活困窮者やホームレスを支援す

る団体です。理事長の川口加奈さんは高校時代からホームレスの問題に関心を持ち、大学時代に支援活動を始め、そのまま就職せずにホームドアというシェルター（個室宿泊施設）をつくりました。

ホームレスの人たちが就職するには住所が必要です。住所がなければ履歴書が書けず就職活動ができない。そこで、一時的なシェルターをつくってそこを住所にして就職活動をしてもらう。一方、大阪では放置自転車が大きな問題になっていて、行政も解決法を探っている。だったら、ホームレスの人の仕事として放置自転車の整理などをやってもらおう。そんな形で行政と組んでホームレスの支援を行っています。

ＮＰＯ法人「あなたのいばしょ」を立ち上げた大空幸星さんは慶應義塾大学の学生ですが、高校時代は不登校でした。そんなときに高校の先生から留学を勧められ、海外生活を機に人生が変わる体験をしています。大空さんは「望まない孤独」のない社会の実現を目指し、チャット相談窓口をつくりました。今3000～4000人のボランティアが24時間チャットサービスに携わっています。

相談してくる人は高齢者から中高校生までさまざまですが、8割が10代・20代。若者の自殺率が上がっている中、チャット相談を受けて、「望まない孤独」から抜け出せるよう支援しているのです。

ＮＰＯ法人「Ｗａｆｆｌｅ（ワッフル）」の田中沙弥果さんは、ＩＴ分野のジェンダーギャップを埋める活動をしています。

先に言ったように日本は女性のエンジニアが圧倒的に少ない。ＩＴ企業に女性エンジニアが少ないと何が問題か。一つに、プログラムを組むときのアルゴリズムが男性発想になってしまうという問題があります。結果的に、でき上がったＩＴサービスやアプリが女性に使いづらかったり、差別的なものが入ることにもなるのです。そこで、彼女たちは女性エンジニアを増やすために、自治体と組んで女子中高生向けのプログラミング教室を始めました。

若い人たちのさまざまな活動を紹介しましたが、こうした取り組みがなぜ成功できたのかと考えると、自分自身がリーダーになろうと思ったことが大きいと思います。「この課題は自分が解決しよう」とリーダーになって決断しているのです。

博報堂のノッカルでは、中心となったメンバーは、地域交通の課題を解決したいと３００ぐらいの自治体を回ったそうです。その中で朝日町の町長が「面白いね。やろうよ」と決断した。

議会が反対したときには丁寧に説明をして納得させた。こうして若い世代がこの課題を解決したいと情熱を持って活動すれば、必ず応えてくれるリーダーが社会にはいるのです。

皆さんもぜひリーダーになってください。

リーダーは地域の長や政治家だけではありません。自分で起業してリーダーになる、あるいは企業に入ってリーダーを目指す。リーダーなら変えられることがたくさんあります。問題意識を持った若い人たちがリーダーになれば社会は変わります。

大きな仕組みを変えようとするよりも、小さな変化をたくさん起こすほうが早いのではないか、私はそう思っています。

第3章

講義のポイント

1. 日本は、人口減少、欧米との賃金格差、ジェンダーギャップなど、さまざまな課題の解決を迫られている。

2. エネルギーの地産地消、生活協同組合の活動、地域通貨の流通など、地域での取り組みが進みつつある。

3. 個人の能力や余った時間を社会のために使う発想が生まれつつある。

4. 東日本大震災以後、社会問題を解決するという意識から起業する若者が増えている。

5. 大きな仕組みを変えようとするより、小さな変化をたくさん起こすことで社会を早く変えることができる。

第4章

IoTテクノロジーの民主化

株式会社 ソラコム 代表取締役社長

玉川 憲

1976年大阪府生まれ。東京大学工学系大学院機械情報工学科修了。米国カーネギーメロン大学MBA、MSE修了。日本IBM基礎研究所でウェアラブルの研究開発などに携わったのち、アマゾンデータサービスジャパンで日本のAWS事業の立ち上げを指揮。15年㈱ソラコムを創業。『IoTプラットフォーム SORACOM入門』（日経BP）ほか共著・翻訳多数。

インターネットの衝撃

皆さんのパッションは何でしょうか？　私のパッションは「テクノロジーの民主化」です。「テクノロジーの民主化」とは、「テクノロジーをオープンにフェアに誰もが使えるようにすること」です。私が代表を務めるソラコムは、「ＩｏＴテクノロジーの民主化」に取り組み、ＩｏＴ（Internet of Things）とＭ２Ｍ（Machine to Machine）向けの通信プラットフォームを提供しています。

皆さんが使っているスマートフォンやタブレットにはＳＩＭカードというものが入っていて、そのＳＩＭカードによって通信ができるのですが、ソラコムは自動車や自販機、ロボットなどに対応するＳＩＭカードをつくっています。「世界中のヒトとモノをつなげ共鳴する社会へ」が会社のビジョンです。

私が生まれたのは１９７６年。いわゆる76世代です。大学生のときにインターネットが登場しました。モザイクというブラウザが出てきて衝撃を受けた世代です。今、チャットＧＰＴなどジェネレーティブＡＩ（生成ＡＩ）が出てきてＩＴの新しい潮目を迎えていますが、私の世代はインターネットがその潮目でした。

今日はアントレプレナーシップ（起業家精神）について述べます。まず、私が大学を卒業して就職し、そこから起業に至るまでの経緯。それからＩｏＴとソラコムに関するお話をします。

私は大学時代、東京大学の工学部で機械設計を学んでいました。そのときインターネットが登場したのです。「これは機械どころじゃないぞ！」と感じて、大学院は情報系に移ってビデオアバターを研究しました。映画『スターウォーズ』でレイア姫と通信すると、レイア姫のホログラムが映し出されますが、ああいうものをつくりたいと思ったのです。

卒業後はＩＢＭの東京基礎研究所に就職して、ウォッチパッドという、今で言うアップルウォッチのようなものをつくっていました。Ｌｉｎｕｘ（リナックス）というＯＳで動き、指紋センサーや加速度センサーなどが入っていていろいろな用途に使える時計で、当時の最先端でした。それを世の中に出そうと研究生活をしていた２００２年のある日突然、上司から「皆さん、集まってください。今日でこのプロジェクトは解散です」と言われたのです。

衝撃でした。世の中の動きがハードウェアからソフトウェアに切り替わっていくときでした。当時、ＩＢＭは世界最大のコンピューターメーカーでしたが、その数年後にパソコン部門を中国のレノボに売却します。幹部層の人はそうした動きの中で解散を決めたのです。われわれのプロジェクトはパソコン部門からお金が出ていたので研究中止になったわけです。

私は自分の研究に没頭していたので、その流れに気づいておらず、びっくりしました。好きな研究を続けるにも世の中の流れは無視できないと痛感させられた出来事でした。そこから英語の勉強を始めました。コンピューターの最先端を行くアメリカで勉強したいと考えたのです。

２００６年、社費留学でコンピューター系で有名なカーネギーメロン大学に入学できました。

楽しい留学生活を始めたばかりのとき、私のその後のキャリアに大きな影響を与える出来事が起こりました。

アマゾンが新しい事業を始めたのです。

コンピューターは「所有」から「利用」へ

当時のアマゾンは本屋さんのイメージでした。本などを一般消費者に売るｅコマースと、セラー（販売者）に売場（マーケットプレイス）を提供する物流サービスを行っていました。それに加えてクラウド・コンピューティングのビジネスが始まったのです。開発者やＩＴプロフェッショナル向けのサービスで、「アマゾンウェブサービス（ＡＷＳ）」といいます。

それが私の留学中にアメリカで始まりました。ちなみに今はＡＷＳがアマゾンの稼ぎ頭です。アマゾンはじつは世界最大のコンピューター会社なのです。それが２００６年にスタートしました。

クラウド・コンピューティングについて、どのような変化だったのかを紹介します。

ＡＷＳを始めたアンディ・ジャシー（アマゾン現社長）は、１枚の写真を見せて「これ何だかわかりますか？」といつも言っていました。ワシントンの博物館に置いてある長さ10メートルぐらいの発電機の写真です。ビール工場で電気を起こすために使っていたのですが、それがいつごろからか中央発電所型モデルに切り替わっていきました。発電機を工場で所有するのではなく、遠くにある発電所から送電線を引いて機械を動かすようになったわけです。パラダイムシフトが起こったのです。

以前は、それぞれの会社のＩＴ部門が大きなコンピューター（サーバー）を所有していましたが、最近はクラウド・コンピューティングが主流になってきています。アマゾン、グーグル、マイクロソフトなどが巨大データセンターをつくり、私たちはインターネット経由でパソコンを使ってさまざまなサービスを利用できるようになりました。

アンディ・ジャシーは「これからクラウドに変わっていくよ」という説明をするために、その写真を使っていたのです。「お客様、コンピューター（サーバー）を自分で買っていますが、いらなくなりますよ」という話をしていたのです。つい13年ほど前です。この13年間でコンピューター産業は大きく変わって、クラウドが主流になりました。

コンピューターを売っていたＩＢＭなどの会社のかわりにアマゾン、グーグル、マイクロソフトなどのソフトウェアの会社が大きくなったというのが、ＩＴ業界のここ十数年の大きな動きです。

私は、コンピューターが「所有から利用に変わる」と知ってびっくりしました。「これからクラウドの時代が来るかもしれない」と思ったわけです。そんな思いを抱きながら大学を修了し、日本に戻って2年ほど新規事業の立ち上げなどをやっていましたが、ある日転機がやって来ました。

２０１０年の春、休みをとって子どもたちと熱海の砂浜で遊んでいたときに、いきなり携帯電話が鳴りました。ヘッドハンターからでした。英語なまりの日本語で「タマガワさん、アマゾンが日本でＡＷＳのビジネスを立ち上げようとしていますが、あなたやりませんか？」と言われたのです。

私はＩＢＭからアマゾンデータサービスジャパンに転職し、日本のアマゾンウェブサービス（ＡＷＳ）の立ち上げに参加することにしました。

ＡＷＳビフォー・アフター

アマゾンは先ほどの説明に出てきた中央発電所型モデルで、お客さんはウェブ上でボタンをポチッと押すとウィンドウズやリナックスのマシンのようなものを立ち上げて、インターネットを通して使うことができます。コンピューティング能力を使いたいときに、ウェブ上で購入してすぐに使えるというのがＡＷＳの仕組みです。

ＡＷＳが出てくる前は、たとえば、ウェブサイトを自分でつくりたいと思ったときには自分で全部用意しなくてはなりませんでした。パソコンを買ってきて、電源につないで、ネットワークを引いて、ＯＳを入れてと全部やらなくてはいけないので、お金も時間もかかりました。しかし、ＡＷＳが出てきたあとは劇的に簡単になったのです。

ＡＷＳは世界中で、いろいろなインターネット上のサービスの誕生に貢献しています。ドロップボックス、ネットフリックス、インスタグラムも、ウーバー、Ａｉｒｂｎｂなどのサービスも全部ＡＷＳから始まっているのです。ある若者が「こういうのがつくりたいな。ちょっとＡＷＳでやってみるか」と始めたことが新しいビジネスに成長していきました。

「ＡＷＳビフォー・アフター」といわれています。ＡＷＳが生まれる前の世界と比べると、生まれたあとの世界では、インターネット上の新しいサービスが出てくるスピードが速くなりました。

今、政府はスタートアップ（新しいプロダクトやサービスをつくりだして急成長させるビジネス）を最重要政策の1つに置いています。もっとスタートアップを生み出さないといけないと。なぜかといえば、世界の時価総額ランキングのトップ10を占める、マイクロソフト、アップル、アマゾン、アルファベット（グーグル）、フェイスブック、アリババ、テンセントなど、世界で一番価値があるといわれている企業はもともと全部スタートアップなのです。私が生まれた1976年から2000年代までに誕生した会社です。

最近ではZoomもそうです。2011年に創業して10年ほどで時価総額5兆円ぐらいまでになりました。コロナ禍が落ち着いて2兆円くらいになりましたが、これも中国系のアメリカ移民が立ち上げたスタートアップで、リモートワークの広がりとともに利用が急増し、世界中にインパクトを与えました。

日本としてももっとスタートアップを生み出したいと考えているわけです。

ＡＷＳは、まさに「コンピューターの民主化」ともいえるものです。アイデアを持っている人が、必要なときにウェブ上でポチッとクリックしてクラウドのコンピューターを使えば、簡単にサービスを立ち上げることができる。私はこの世界観に強く共感しています。これが冒頭でお話しした私のパッション「テクノロジーの民主化」です。

携帯電話代に苦しむ大学生を救う

アマゾンデータサービスジャパンに入社してから、私はＡＷＳを使ってウェブサイトやアプリをつくり、エバンジェリスト（伝道師）として全国各地で講演しました。ＡＷＳのビジネスは急速に拡大し、現在１０００億円ぐらいのビジネス規模になっています。

ただ、日本から世界に打って出るようなイノベーティブなサービスを行うスタートアップが生まれたかというと、残念ながら生まれませんでした。唯一メルカリが頑張ってアメリカにも進出していますが、私たちの前の世代のソニーやトヨタなどがグローバルに進出していったのに比べると、もっと日本の企業も挑戦してほしいと、私は忸怩（じくじ）たる思いを抱いていました。

そんなある日、シアトルのアマゾン本社に出張しました。仕事が終わったあと、同じチームにいた安川健太さん（現ソラコムＣＴＯ＝最高技術責任者）と飲みに行きました。安川さんは前に通信会社にいて、「クラウドの上で通信の仕組みすらつくれると思います」というような話をして盛り上がったのです。その後ホテルに戻ったのですが、時差ぼけで眠れなかったので遊びでプレスリリースを書きました。

アマゾンでは、新しいモノやサービスをつくる前に仮想のプレスリリースを書きます。「本日、株式会社○○は△△という製品を発表しました。これはこういう人たちのこういう課題を解決します。われわれは△△を××円で販売します」というような、公式発表のための文書です。

当時、高い信頼性が求められる金融や通信などのシステムは、クラウドでは動かないと思われていました。ハードウェアなどに大きな初期投資が必要だったのです。もし、クラウド上で通信の仕組みをつくったら、AWSのようにリーズナブルに使えるようになるのではないか、そうなれば世界中のいろいろなアイデアが形になって、新しいビジネスがどんどん生まれるのではないかと、プレスリリースを書いたのです。

次の朝起きてあらためてプレスリリースを読んで、「これ、いけるんじゃないか!」と思ったのです。これはやったほうがいいと。

ただ、AWSのビジネスは大成功していたし、私は日本の立ち上げメンバーとして入社し技術側のトップでした。独立を考えたことはなかったのですが、このプレスリリースを書いて、誰かがやらなくてはいけない、自分がやりたいと思いました。

モノの中にあるデータをどう集めるか

そんなとき、『ゼロ・トゥ・ワン　君はゼロから何を生み出せるか』という本を読みました。ピーター・ティールという著名な投資家が書いた本です。起業に興味ある人はぜひ読んでください。テスラをつくったイーロン・マスクが最初に手掛けた決済会社ペイパルを一緒に立ち上げた人です。ピーター・ティールはその会社を売ったあと投資家になりました。

その本の一文が刺さりました。「世界に関する命題のうち、多くの人が真でないとしているが、君が真だと考えているものは何か」という言葉です。たしかにクラウド上で通信系の仕組みをつくれると思っているのは私と安川さんだけだった。ほかの人はつくれないと思っている。まさにこれこそが、自分たちが信じる何かを全員が信じていない状況です。

やはりこれはやらなければならない。イノベーションを起こす会社をつくろう。日本から世界に打って出るようなスタートアップをつくろうと決意しました。

こうして、通信のシステムをクラウド上でつくることに取り組むのですが、どこから始めるか

｜図表｜IoT（Internet of Things）の仕組み

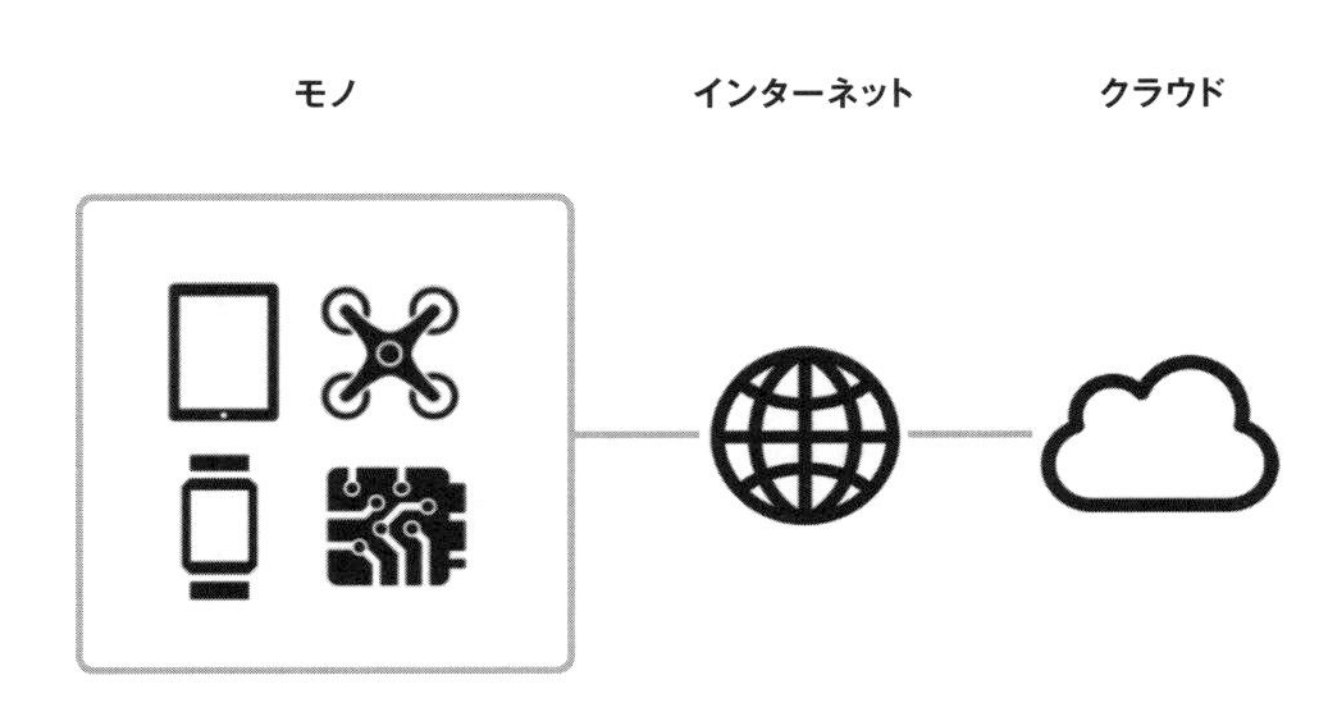

というとき、注目したのがＩｏＴでした。

インターネットが出てきて、クラウド上にデータをためられるようになりましたが、そのデータは自動車やドローン、自販機など世界中のモノの中にもあります。そこからどうやってデータを集めるのか、そこがなかなか解けない。モノからインターネットを通して、クラウドにデータを上げるにはどうすればいいのか。

有線ＬＡＮやＷｉ－Ｆｉでは、動き回る人や車のデータは送れません。また、設定や管理、セキュリティなど、多数のモノをつなぐには課題もありました。次に、スマートフォンで使うモバイル通信に注目しましたが、モバイル通信はヒト向けで、モノ向けにつくられていない。では、まずＩｏＴから解いていこう、ＩｏＴ通信を使いやすく、安く提供していこうと考えました。

ＩｏＴテクノロジーを世界中で使いやすく

スタートアップは、アイデアを見つけてから投資家に事業資金を募り、集めたお金をもとにプロダクトをつくります。私は「世界中のヒトとモノをつなげ共鳴する社会へ」というビジョンを決めて、これに共感してくれる人たちと起業しようと、アマゾンを辞め、投資家から7億円を調達してソラコムを設立しました。

２０１５年の9月に「ＩｏＴプラットフォームＳＯＲＡＣＯＭ」をサービス開始しました。コンセプトは「1枚から使えるＩｏＴ向けのＳＩＭカード」です。サービス開始当初は、アマゾンでＳＩＭカードを販売していました。購入した人が、アマゾンから届いたソラコムのＳＩＭカードをスマホやタブレットなど通信機器に挿入すると通信ができるようになります。自動販売機や車、産業機械など、いろいろなモノをモバイル通信でつないで、簡単にＩｏＴデータをクラウドに連携できる仕組みをつくったのです。

会社を始めてわかったことは、ＩｏＴは総合格闘技だということ。デバイス管理、セキュリティ、クラウド連携、遠隔管理、可視化の仕組みづくりなどやるべきことだらけ。だからこそ、もっとみんなが使いやすくしようと、ソラコムは「ＩｏＴテクノロジーの民主化」を会社のミッションにしています。ＡＷＳがコンピューターの民主化だとすると、われわれはＩｏＴテクノロジーの民主化をしていこうと。ＳＩＭから始めて、ＩｏＴシステムを短期間で開発して、効率的に運用するためのサービスを次々に手がけていきました。

ソラコムがほかのスタートアップと違う点はグローバル志向であることです。われわれのＳＩＭカードを日本だけではなく、世界どこでも使えるようにしていこうと創業時から考えていました。そこで、次の年に30億円を追加で資金調達して、ＳＩＭ１枚で何カ国もつながる仕組みに取りかかったのですが、この取り組みが会社の転機になりました。実際、グローバルを目指そうとすると、30億円ではまったく足りないのです。

ミッション実現のために、さらにお金を調達するか、それとも大きな会社とパートナーリングするか。たまたまＫＤＤＩからソラコムをＭ＆Ａしたいという話がきました。すごく悩みました。ミッションの実現を目指すなら大企業の中に入ってやったほうがいい。一方で、自分たちの自由、オーナーシップを維持するなら独立していたほうがいいかもしれない。

さまざま悩んだ末、ＫＤＤＩグループのソラコムとして成長させていくことに決めました。創業3年の会社を大企業がＭ＆Ａするということで注目されました。その後、ビジネスとしては非常に順調に進んでいます。

自販機、自動車、ロボットなどにＳＩＭを提供

今、ソラコムはアメリカとイギリスにオフィスを持ち、お客様は世界中で2万を超えました。ＩｏＴシステム開発・運用をサポートするサービスも20種類以上提供しています。世界中で600万を超えるＩｏＴデバイスがＳＯＲＡＣＯＭのプラットフォームでインターネットにつながって、データが集まってきています。

どういうお客様に使っていただいているのか、いくつかご紹介しましょう。

電動キックボードや電動アシスト自転車のシェアリングサービスを行っているＬｕｕｐでは、キックボードや自転車にＳＩＭを入れて、バッテリーの状況や位置情報の把握に活用しています。

建設現場で使うショベルカーなどの業務用の車、建機でもＩｏＴが進んでいます。北海道のような広いエリアでは数十キロ離れた複数の現場を、一人の現場監督が管理することもあるそうで

す。建設現場のデジタル化に取り組むサイテックジャパンでは、建機にセンサーを取り付けてどれくらい土を掘ったか、作業したかを計測して、工事の進捗を管理しています。現場監督は現地に行かなくても何が起きているか把握できるわけです。デジタル化することでペーパーレスを実現、移動時間を減らして働き方改革も始まっています。

ＬＰガス、エネルギー販売を手がける日本瓦斯（ニチガス）には、ガスメーターに後付けするスマートメーター（自動検針計）を１２０万台以上使っていただいています。かつて検針員が毎月現場に行って使用量を確認していたのですが、検針を自動化して今では検針員はいません。さらに、ガスの利用状況が毎月どころか毎日わかるようになりました。これらのデータを活用して、ガスボンベ配送の効率化に役立てています。

ハローライトというスタートアップがつくっているＳＩＭ入り電球も人気です。この電球を一人暮らしのおばあさんの家のトイレに付けると、点灯したかどうか知らせてくれます。トイレの電気を1日1回もつけないのはおかしいですよね。そこで、登録されている連絡先に「今日は1回も電気がついていませんが大丈夫ですか？」と連絡する仕組みです。ヤマト運輸の「クロネコ見守りサービス　ハローライト訪問プラン」と提携して、異常時に宅配ドライバーが代わりに訪問してくれる仕組みもできました。

除雪車がどこを走ったのかを記録するサービスもあります。「私の家の前が除雪されていない」という苦情が結構あるらしいのです。「そこは何時何分に走っています。雪がちょっと多く降っただけですよ」と説明するためにデータを使います。

今、里山などで鳥獣被害が増えています。イノシシなどが農作物を食べてしまうのでワナを仕掛けるのですが、そのワナにソラコムのＳＩＭを付けて、ワナにイノシシがかかると知らせてくれるようにしています。見回りの労力を軽減できます。

そのほかにも、自販機、自動車、ロボット、踏切、ビニールハウス、エビの養殖、ウインドサーフィン、登山、エレベーター、あらゆるところでＩｏＴのデータを集めるために使っていただいています。

われわれはこのような通信から始めましたが、通信の提供だけではＩｏＴの実現は難しいので、デバイス（センサーなど）の提供、クラウドサービス（データの蓄積や可視化）にもサービスを拡げています。

ＩｏＴボタンというデバイスはボタンを押すとデータが送信されるというシンプルな仕組みですが、マンションの入り口に設置してタクシーを呼ぶときに押すなど、さまざまな使い方ができます。

ＧＰＳマルチユニットというセンサーは、温度や湿度、位置情報がとれるもので、食料品の輸送時に品質を管理するための温湿度管理や、経路を確認するための位置情報確認に使われています。

クラウド型カメラも人気です。設置場所の様子をスマホで見ることができ、動きがあれば検知します。スーパーマーケットの本部で各店舗の店頭在庫の管理に活用したり、商業施設では混み具合を利用者がウェブで事前に確認できるサービスに使ったりしています。

ソラコムでは、このようにＩｏＴのテクノロジーを使いやすくして、いろいろな形で利用していただけるように力を入れています。

パッションを持ち、リスクをとる

ところで、世界や日本はいい場所になってきていると感じますか？

いろいろな見方がありますが、世界銀行が発表したデータ「絶対的貧困の推移」を見ると、１９９０年の世界の絶対的貧困率は37・１％でした。その数値は徐々に減っていき、２０１５年は９・６％です。絶対的貧困の数値は改善しています。その要因の１つはテクノロジーの発展です。『ゼロ・トゥ・ワン』にこうあります。「テクノロジーは奇跡を生む。それは人間の根源的な能力を押し上げ、より少ない資源でより多くの成果を可能にしてくれる」。正しく使えば、テクノロジーはいいものであると。

スタートアップというのは、世の中をよくしよう、社会に貢献しようというパッションをもとにテクノロジーでイノベーションを起こす1つの組織の形です。ソラコム、AWSのようなビジネスは、スタートアップや新しいことを始めようとする人を支える仕組みを提供しています。ソラコムを使うとIoTのテクノロジーで手軽に面白いサービスがつくれる、そんなサービスにしたいと考えています。

最初にパッションの話をしましたが、パッションとは「好きでたまらないこと」です。ただ、自分のパッションを見つけること、育てることには結構時間がかかります。私の場合も、ソラコムを始めてからようやく、「自分が好きなのは、テクノロジーを使いやすい形にして世の中に提供し、いろいろな会社がそれを使ってすごいサービスをつくってくれること。これが私のパッションなのだ」と気づきました。パッションが自己実現の範囲だけでなく、社会に貢献できているという実感があると幸せを感じます。

スティーブ・ジョブズは「コネクティング・ザ・ドッツ」(connecting the dots) という言い方

をしました。未来はそもそもわからないという話です。

私は、今ソラコムを経営していますが、大学時代は機械化のリサーチをやった。その後、ビデオアバターの研究をし、ウェアラブル・コンピューティングをやった。そして、アメリカに行って戻ってきた。結果として今、学生のときにはなかったIoTの世界、ハードウェアも通信もアプリケーションも必要な分野で仕事をしている。それは学生の頃に想像できたかというと、できない。目の前のことに一生懸命取り組んだ結果、そのときどきに点が打たれ、振り返ると「その点はつながっていたんだな」と感じます。

今できるのは、「あとから振り返って点がつながると信じる」ことです。そう信じながら、目の前のことを一生懸命やるのがいいのではないかと思います。

「未来を予測するもっとも確実な方法はそれを発明することだ」。これはアラン・ケイという人の言葉なのですが、まさにスタートアップです。「こういうサービスが世の中の役に立つ。誰もやらないのなら自分でやろう」と始める。そのときにはリスクもあります。

日本語でリスクというと悪いイメージしかありませんが、経済学では危ないことだけを指しているのではありません。リスクとは「振れ幅」を意味していて、リスクが大きいときは、うまくいけば大成功し、失敗すると大変な目に遭います。リスクが小さいとは振れ幅が小さいということで、うまくいっても少し成功するだけ、悪くいっても少し困るだけ。

私自身のキャリアを振り返るとリスクをとれるようにしてきたといえます。ここで失敗してもすぐ戻れるのだったら、より大きなリスクをとりにいこうと考えました。

アメリカ留学から戻ってきて、ＩＢＭからアマゾンに移りましたが、社費で留学させてもらっていたため、帰国後5年以内に辞めた場合、留学にかかった費用を返済することになっていました。しかし、どうしてもＡＷＳの立ち上げをやりたかったので、銀行から借りて支払いました。そのリスクをとったからこそ、新しい事業を立ち上げる経験ができ、その後スタートアップを起こすことにつながった。自分がとれるリスクを広げていくのは、一つのキャリアのつくり方ではないかと思います。

パッションを持って人生を切り開いていく。より大きなリスクをとって挑戦していく。そんな生き方をするのも楽しい――私がここで伝えたかったメッセージです。

第4章

講義のポイント

1 クラウド・コンピューティングによって、コンピューターは「所有」から「利用」へパラダイムシフトした。

2 AWSの登場によって、インターネット上のサービスを行うスタートアップが次々に生まれた。

3 「IoTテクノロジーの民主化」に取り組む会社「ソラコム」を起業し、世界中でさまざまなデータを集め、可視化できるSIMカードを開発。

4 「あとから振り返って点がつながる」と信じながら、目の前のことを一生懸命やるのがいい。

5 パッションを持ち、リスクをとりながら挑戦していく。そんな生き方をするのも楽しい。

第5章

10年変革シナリオ——時間軸のトランスフォーメーション戦略

BCG シニア・アドバイザー／早稲田大学ビジネススクール 教授
杉田浩章

1961年生まれ。愛知県出身。東京工業大学工学部卒業、慶應義塾大学経営学修士(MBA)。㈱日本交通公社勤務を経て、94年にボストン・コンサルティング・グループ（BCG）入社。2016年BCG日本代表。21年より早稲田大学ビジネススクール教授。23年よりBCGシニア・アドバイザー。著書に『思考する営業：BCG流営業戦略』（ダイヤモンド社）、『リクルートのすごい構"創"力』（日本経済新聞出版）、『10年変革シナリオ』（日本経済新聞出版）など。

「今」と「将来」をつなぎながら組織を革新する

ここ北海道には、ほかの土地にはないユニークな魅力があります。豊富な農林水産資源、国内外の人々をひきつける観光資源、そして広大な大地。北海道はこうした価値を活かして新たな産業をつくる可能性を秘めています。

また、北海道では道内でさまざまなことが完結していて、たとえばコープさっぽろでは、豊かな農林水産業から生まれた食を、最適な物流を整えて消費者に届けています。こうした一貫性がありますから、それぞれの産業分野で企業の役割が分化している本州とは異なるビジネスモデルがつくれるということです。

北海道の人口、GDPは、北欧の1国と同じぐらいの規模があります。1つの経済圏として成立するサイズですから、ある種の戦略特区的に、あるいは規制緩和の特区としていろんな実験をやりながらユニークな事業機会をつくっていくチャンスもあると考えられます。今日は、北海道の価値を顕在化させるという視点も持ちながら、どのようにイノベーションを起こして、新たな価値を創造していくのか、その切り口、シナリオを学んでいただきたいと思っています。

さて、企業にとって、今どういう経営戦略が必要でしょうか。

企業を持続的に成長させるには、10年くらいの時間軸で変革のシナリオを考えなければなりません。最初に立てた戦略で中期的なゴールを目指していては、いつの間にか成長が止まってしまいます。大企業もベンチャー企業もスタートアップも、持続的な成長のためには、10年という時間軸で経営を変革していく必要があります。

変革を実現するための要素は次の2つです。

1つは「今日の競争からキャッシュを得ること」。

将来をつくるために今の事業からきっちりとお金を生み出さなければなりません。これができなければ、将来への投資ができず、じり貧に陥ってしまいます。今の事業をどのように変革しながら（持続的なイノベーションを起こしながら）、お金を生み出し続ける期間をどこまで長くできるか。これがまず重要な要素です。

もう1つは「未来の創造のための基盤に投資すること」。

今の事業の賞味期限が切れたあと、どんな事業で自社の将来をつくっていくのか。その構想を練り、どこにその可能性があるのかを探索する活動です。何を見定めて将来を描き、どこに投資していくのか。未来を創造するための投資を行って次の成長基盤をつくっていきます。

これら2つを同時に実行しなくてはなりません。

そして、「今の事業」と「将来の事業」では、事業運営のベースとなる経営資源と組織能力が同じでない可能性が高いので、今の事業の中で必要な組織能力を磨き込みながらお金を生み出し続け、一方で、違う組織能力を手に入れて将来をつくっていきます。このように「今」と「将来」の時間軸をつなぎながら組織を新しい能力に変えていくことを「トランスフォーメーション」といいます。

しかし、長期的なトランスフォーメーションに成功する企業は、アメリカにおいても日本においても10％くらいしかありません。改革を進めながら儲かる構造に変えていくまではなんとかできるのですが、将来に対する投資ができない。あるいは、将来どこで企業を成長させるのかという構想がつくりきれない。構造改革をしていくらか儲かるようにはなったけれども、投資をしながら伸ばしていく事業領域が定まらずに息切れして、変革が止まってしまうケースが非常に多いのです。

そのような現状で、今まで私が経営コンサルタントとしていろいろな企業の変革のお手伝いをしてきた中で気づいたポイントを示したものが**図表1**です。

将来成長できる基盤を見つけることは容易ではありません。さまざまな探索活動をしながらい

｜図表1｜“10年”の時間軸で“3ウェイブ”を回す

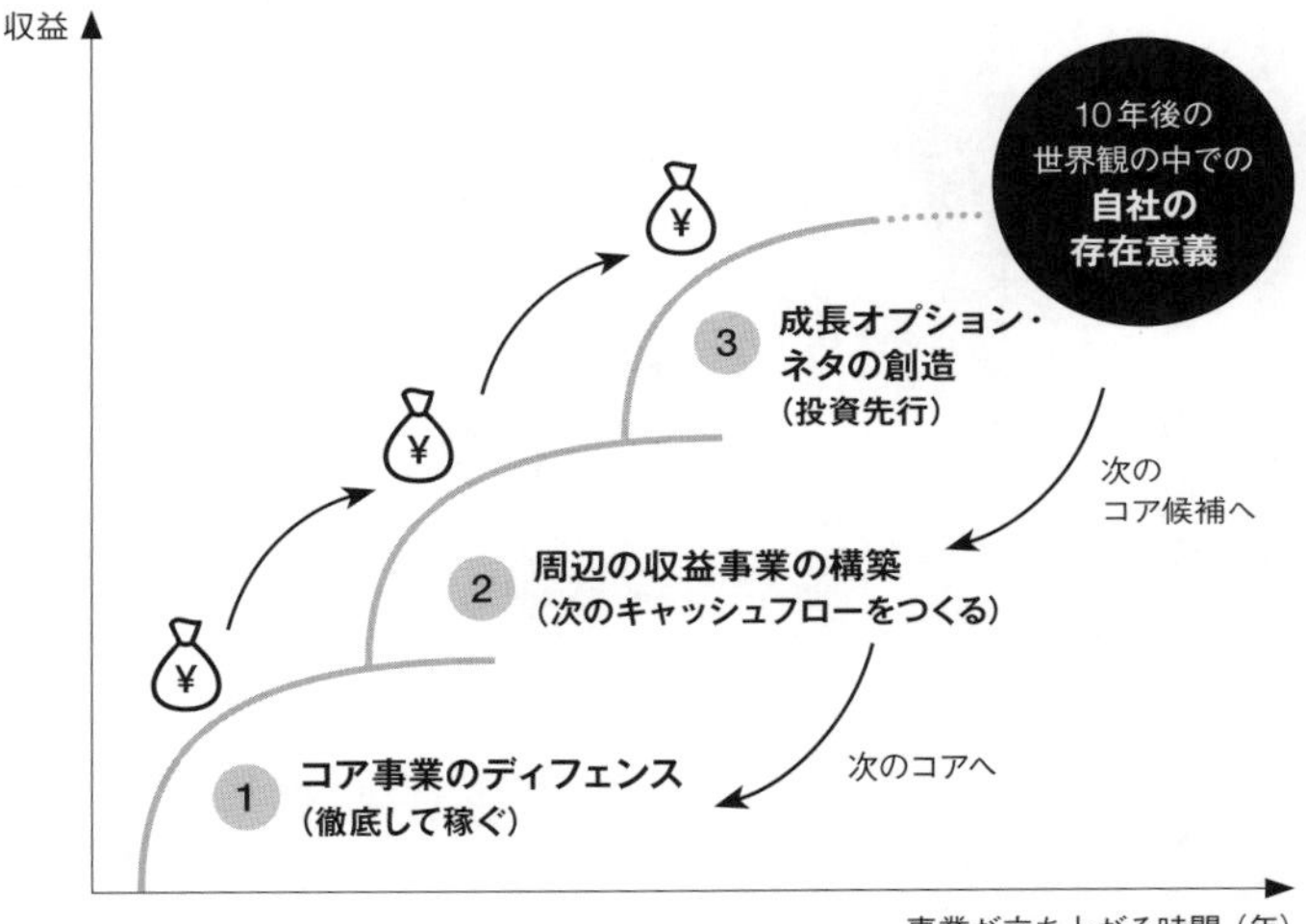

ろいろなところに投資して可能性を探る必要があります。既存事業で生み出すお金だけでは、新しい基盤を見つけることはできないかもしれません。そこで、既存事業の周辺で収益事業を構築してキャッシュを生み出し、そのお金を投資して成長のための新しい基盤をつくります。

トランスフォーメーションは、「コア事業のディフェンス」「周辺の収益事業の構築」「成長オプション・ネタの創造」の3つのウェイブで組み立てて回していきます。このシナリオを考える必要があります。

3つのウェイブを回す5つの要素

10年で3つのウェイブを回していくとき、どんな要素が必要になるか。それを5つにまとめたものが**図表2**です。

3ウェイブのトランスフォーメーションのシナリオに組み込む要素の1つは、「時間軸の投資ポートフォリオ」です。10年という時間軸の中で、成果が出るところにいつ投資をするのか。今のお金を将来の基盤をつくるための投資にどう配分していくのか。こうした投資ポートフォリオを考える必要があります。

2つ目は「自ら仕掛ける市場創造」です。どのように市場を創造していくのか、その戦略が必要です。

これら、投資ポートフォリオ、戦略構想というハードな戦略を立てたあとは、それを回していく人や組織の変革というソフトな戦略を合わせます。実際にトランスフォーメーションを動かしていくのは人です。現実的に成功に向かって実行する力を生まなくてはなりません。

そのために必要な要素が3つ目の「パーパス」。企業の存在意義です。

図表2 時間軸のトランスフォーメーション戦略とは

ドライバー

⑤ ミドルアップダウン型推進チーム
（トップ・参謀・現場リーダーの三位一体）

コンセプト

10年×3ウェイブの
トランスフォーメーションシナリオ

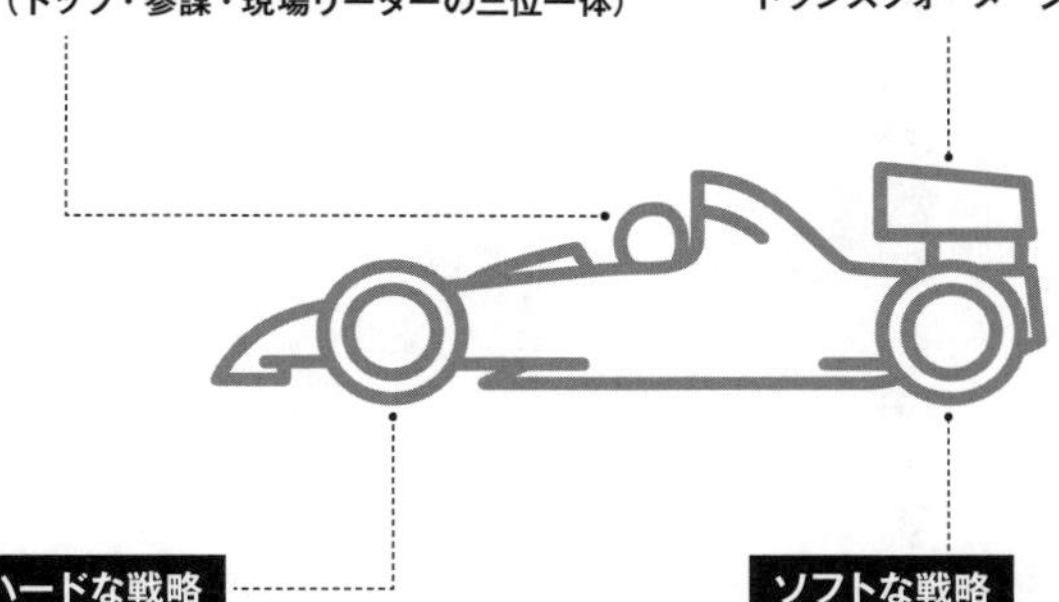

ハードな戦略

① 時間軸の投資ポートフォリオ
② 自ら仕掛ける市場創造

ソフトな戦略

③ パーパス→組織・人→カルチャー
④ 成長を支える投資家マネジメント

社会における自社の存在意義を社員に浸透させていく。これをうまく進めていかなければ人がついてきません。

社員が内発的動機（個人の内面から湧き上がる強い動機）によって動く組織になるために、パーパスをどのように10年のシナリオに織り込んでいくのかが重要になります。

4つ目が「投資家マネジメント」です。

上場企業は株を買ってくれている投資家に支えられています。投資家たちの「そんな金の使い方をするな」とか、「将来に投資するよりも今配当してくれ」という声に対して、「それよりも将来向かうべき方向に金を使ったほうが、今短期的に金をお返しするよりも得なのですよ」と説得しなくてはいけません。投資家をマネージする能力が必要です。

5つ目は「ミドルアップダウン型推進チーム」です。

10年変革シナリオをどんなチームで回していくか。大きな変革なので、今自分たちがやっていることを否定しなくてはいけないことも出てきますし、これまでの動き方、やり方を変えていかなくてはいけないことが数多く出てきます。そこで、ミドルクラスの人たちがトップと現場をつなぐミドルアップダウンを実現する必要があります。

以上の「時間軸のトランスフォーメーション戦略」の5つの要素を1つずつ詳しく説明していきましょう。

お金を3つの領域に配分する

①時間軸の投資ポートフォリオ

「時間軸のトランスフォーメーション戦略」の第1のポイントは、10年の時間軸で投資ポートフォリオ・マネジメントのフレームワークを持つことです。どんなフレームワークかといえば、投資する事業領域でどれくらいのリターンが生み出せるかというものです。10年という長い時間軸を設定する理由は、投資領域のリターンが十分に見えるほどマーケットの存在が明らかでない、あるいは自らつくりにいくマーケットなのでリターンの不確実性が高いためです。

企業は大きなリターンが生まれている領域にさらに投資をしがちです。既存事業に金を使うために、将来の領域への投資を意思決定できなくなってしまいます。結果として、今の事業を存続させることに汲々として、将来への種まきができずに、気づいたときには企業としての価値がなくなってしまうこともあります。将来の成長を築いていくベースをまったくつくり出せないということになってしまうのです。

成功の事例を紹介しましょう。

リクルートは、かつて広告誌（紙のメディア）で莫大な収益を上げていました。「リクルートブック」などの就職情報誌で莫大な利益をあげたのち、広告誌の分野を「カーセンサー」「じゃらん」「ホットペッパー」などへと横展開していき、さらに収益を伸ばしていきました。投資に対するリターンが見えやすい紙のメディアを手がけていったのです。しかし2000年の初め頃から、グーグル、ヤフーなどインターネットのメディアが少しずつ普及し始めます。

将来、ネットメディアによって紙のメディアが駆逐されてしまうかもしれない。自分たちがネットメディアに取り組めば、自社が発行する紙の情報誌の死を早めることになってしまう。そこで、経営層は将来どこに成長の芽があるのかを議論しました。自分たちがやらなくても他社がこぞってネットメディアに進出すれば、いずれ紙の広告誌はなくなってしまう。であれば、自分たちが先に投資して仕掛けていこうと決めました。

リクルートは10年ほどをかけて、自社の媒体を順次、紙からネットメディアに置き換えていきました。自分たちの紙のビジネスを収斂させていったのです。紙媒体の広告は1面当たりの単価が高かったのですが、ネット広告になって非常に安い価格設定ができるようになりました。それによって、かつて広告出稿をためらっていた飲食店、美容室など小規模の事業者を取り込むことができ、結果的にマーケットが大きくなり、紙の時代より儲かる基盤をつくることに成功したのです。

ネット媒体という新たな基盤をつくり上げて、莫大なキャッシュを生み出すことができたため、2007~08年から、その次の基盤づくりであるグローバル化を進め、今、総売上高に占める海外の比率は6~7割くらいになっています。

このケースに見るように、変革は10年くらいの時間軸で、今の事業で儲けた収益を次の収益を生み出す領域に投資し、さらに遠い将来により大きな基盤を生み出す領域を定めてお金を回すことで達成されます。今の領域に投資するお金、中期的に次に儲けを生み出す領域に投資するお金、さらに将来リスクが高い領域に投資するお金、この3つのお金の配分を会社の屋台骨が倒れない範囲で、どう最適化しながら行っていくか。それを構想し実現していくのが「投資ポートフォリオ・マネジメント」です。

未知の領域にも投資配分を行う

持続的な成長のためには、その先の重要な領域に対してチャレンジする投資をどう行っていくのかがポイントとなります。

ユニ・チャームのケースも紹介しましょう。ご存じのとおり、子ども用のおむつ、女性用の生理用品、大人用のおむつ、ペット用品などを扱う会社です。

リクルートと同じように2000年の初めまでは国内事業がほとんどでしたが、さまざまな新規事業に手を出した結果、国内の収益基盤が少しずつ崩れてきていました。ここでユニ・チャームは何をしたか。

まず、収益を生み出していない新規事業をすべて売却・中止して本業回帰を行いました。それによってお金を生み出せる基盤をつくってグローバル化を決定し、05年頃から海外展開を本格化させていったのです。

最初に進出したのは、中間所得層が増えつつあったアジアでした。それまで布のおむつを洗って何度も使っていたのが、生活水準の向上によって外出などのアクティビティが増えたため、使い捨て紙おむつのニーズが生まれてきます。生理用品も同じように、働く女性の社会進出に伴って質の高い商品が必要になりました。そこで、ユニ・チャームはインドネシア、タイなどに先行的に投資をしながら、収益を生み出すマーケットをつくっていきました。

人口の構成比を見ると、今、日本ではシニア層が大きな割合となっていますが、今後海外も同じようにシニア人口が増加していきます。すると、日本と同じように大人用おむつのマーケットが生まれてきます。そのマーケットが生まれそうな国に新たに投資をしてビジネスをつくっていきます。ペット用品も同様で、生活が豊かになる中、子どもが巣立つと、高齢者がファミリーとしてペットと一緒に暮らしたいと思うようになります。

ユニ・チャームは、そうした市場を見定めながら、ベビー、フェミニンの次に、大人用おむつやペット用品のマーケットに投資しながら事業を展開しているのです。

さらに同社では、商品を売るだけではなく、製品をデジタル化して体調管理などにつなげるサービス化へのトライを始めています。まだどれだけのマーケットがどんな形で出てくるかわかりませんが、一つ先のチャレンジとして、未知の領域にも投資配分を行っています。

市場創造を仕掛けるイノベーション

②自ら仕掛ける市場創造

「時間軸のトランスフォーメーション戦略」の2つ目のポイントは「自ら仕掛ける市場創造」です。市場創造を仕掛けるイノベーションを戦略シナリオに組み込みます。

イノベーションを起こすうえでのカギは3つあります。①メガトレンドの見立て、②ティッピング・ポイントのつかみ方、③S字カーブの前倒しのシナリオです。

トレンドにはいろいろなパターンがあります。たとえば、ギンガムチェックのシャツが流行しても、未来永劫はやり続けるわけではありません。ブームはどこかで跳ねて落ちていく。そういうものではなく、ある方向に向けて長期的に伸びていくものを見立てます。

最初は地面を這っているように伸び、あるところからグッとカーブが立ち上がるように変化する「メガトレンド」を見定めることが重要です。自社がどのメガトレンドに乗って将来のビジネスをつくるのかを会社全体で共有します。

メガトレンドが生まれる要因には、デモグラフィック（人口動態）、テクノロジーの発達、規制（レギュレーション）の変化などがあります。これらを正確にとらえなくてはいけません。

「ティッピング・ポイント」とは転換点のことです。ユニ・チャームの例で説明しましょう。

ユニ・チャームが当初中国マーケットに投入した女性用の生理用品は、最初の中間所得層が生まれるタイミングに乗り遅れたために収益を生むビジネスをつくれませんでした。市場シェアは業界4、5位でした。

その後、中国では女性が都市でビジネスウーマンとして働く機会が増加し、しかも外資系企業、あるいは中国企業の中でも給与レベルの高い企業へ、女性の就業機会が増えるタイミングが生まれました。そこで、ユニ・チャームが投入したのは日本で随分前につくった商品でした。ショーツ型の生理用品で、1枚当たりの価格が普及商品の4～5倍です。価格が高過ぎて日本国内ではまったく売れなかった商品でしたが、中国の女性はパンツルックで、ヒップラインがきれいに見えることを求めていることがわかり、その商品を投入することで、高額商品でありながら高いシェアをとり、非常に儲かる商売ができるようになりました。

このように、人口動態を見ながら、都市で働く女性層に対して新たなマーケットをつくるティッピング・ポイントをつかむことができたのです。

「S字カーブの前倒し」とは、1つのマーケットの中で小さなS字（狭い分野の成功）をつなぐことによって大きなS字のカーブを生み、市場を創造することです。それには、お客さんの課題を観察する現場の能力がきわめて重要です。

リクルートの例でいうと、紙からネットへ舵をきったのは、事業の各領域でネットメディアが出始めていたタイミングでした。スタートアップやベンチャーは、飲食店などを1件1件訪ねて「ネット広告を使ってください」と営業ができる部隊を持っているわけではないので、マーケットの立ち上がりが遅い。

しかし、リクルートは紙のメディアに多くの顧客を抱え、お客さんの課題を熟知しています。そのため、自らネットメディアを始め、紙のメディアがなくなる世界をつくっていくという意思決定をして素早く動き始めたことで、いち早くネットメディアのマーケットをつくることができたわけです。

しかも、ネットに乗り出していくにあたって彼らが行ったのは、紙メディアとネットメディアのセット販売でした。料金を紙の金額のままにしたことで、「それならネットもやってみようかな」とお客さんが乗ってきます。

リクルートは無料のネットメディアで効果が出るように磨き込みを行っていき、しばらくするとネットの集客価値が紙メディアを上回るようになります。その瞬間に2つのプロダクトを分けて、それぞれ料金を徴収するようにし、最終的には紙のメディアを閉じてネットのメディアにすべての価値を寄せて、そこから収益をあげる構造をつくった。

小さなS字カーブで収益機会をつなぎながら、大きなS字カーブを描いてネットメディアのマーケットをつくってしまったのです。

企業と個人のパーパスを合わせていく

③パーパス→組織・人→カルチャー

長期の戦略を立てるときには、「自分たちがやりたいのはこれだ」と、企業が目指す方向と社員が目指す方向を一致させる必要があります。そこで、企業のパーパス（存在意義）を通じて、社員の心に響く「言語化」を行います。

まず、会社と社会の関係を探ります。自分たちはいったい何者なのか、自社の歴史の中で自分たちが成し得てきたことはいったい何なのか、自分たちが大事にしてきた価値観は何かを問い、その一方で、これからの世の中の課題は何か、社会に求められることは何かを問います。

これら2方向の問いの接点に企業の存在意義があります。その意義と戦略を組み合わせて伝えていく必要があります。

他方、企業と個人をどうつなぐかも重要です。

大学生の就職意識調査（２０２０年卒マイナビ大学生就職意識調査）を見ると、希望就職先として「安定している会社」が伸びていて、「自分のやりたい仕事ができる会社」が減っています。「働きがいのある会社」が減って、「給料の良い会社」「福利厚生が良い会社」が伸びています。高いエンゲージメント（社員の会社への信頼）が生まれにくい状態があります。

だからこそ、この会社に入る意味は何なのか、この会社に入って何をしたいのかを、個人が自分に問い、企業側も個人に対して問う必要があります。その中で企業と個人のパーパスを合わせていかなければ組織の力になっていきません。

個人としてこの会社に所属する意味、個人として何を成し遂げたいのか、これを企業の中で徹底して議論しながらパーパスを一致させていきます。

投資家が納得するシナリオを組み立てる

④投資家マネジメント

企業を最後に支えてくれるのは投資家です。会社にお金を出している人、あるいは将来への投資を認める権限を持つ人たちを納得させられる「時間軸のトランスフォーメーション戦略のストーリー」を組み立てることがきわめて重要になります。

1つは、「ここに投資したほうが長期的に企業の価値が高まる」というストーリーをきちんと組み立てられること。

もう1つは、そのストーリーを支持してくれる投資家向けにポートフォリオを入れ替えていくこと。支持してくれる投資家に自分たちの株を持ってもらえるようにするのです。

これもリクルートの例ですが、Ｉｎｄｅｅｄ（インディード）というアメリカ企業を買収し、それをベースとしたＨＲテクノロジーという人事・労務のシステムに関する事業分野があります。将来大きく伸びる可能性のある分野で、ここに既存のメディア＆ソリューション事業などから金をシフトしていきたいと考えています。同社ではＨＲテクノロジーに投資する必然性をつくっていくために、事業ポートフォリオを、メディア&ソリューション、グローバル人材派遣、HRテクノロジーの3つに分けました。

そして、「こういうポートフォリオでこういう金の回し方をします」と、企業として事業会社をマネージしていくモデルを投資家に提示しました。さらに、この3つの事業領域の価値をマルチプルという企業価値評価法で示しました。単純に言うと、将来成長していくスピードが速く、長く成長していく領域はマルチプルが高いわけです。

今、それぞれ100円の利益を上げているABCの事業があるとします。Aは頭打ちでその後衰退していく。Bはそこそこしか伸びないか、伸びても10年も持続しない。Cは速いスピードで成長して10年以上伸び続ける。この場合、同じ100円でもCの100円が一番価値が高いととらえられます。Cはマルチプルが高いといいます。

将来伸びていく領域に基盤をつくることができれば、大きな企業価値が生まれます。リクルートのHRテクノロジーのマルチプルは40~60倍で、通常の国内のこのメディアは9~12倍なので、その4倍以上の価値があります。それを提示することで投資家の支持を集め、株価を上げて、投資家に報いています。

トランスフォーメーション戦略を展開する体制

⑤ミドルアップダウン型推進チーム

「時間軸のトランスフォーメーション戦略」の最後のポイントは「ミドルアップダウン型推進チーム」です。戦略を展開する体制を整えなければなりません。

トップが壮大なビジョンにもとづいて将来の新しい事業機会を提示しても、現場では、今の事業においては目の前にお客さんがいて、さまざまな面倒なことに一つひとつ対峙しながら仕事をしているため、将来ビジョンと現場の状況にギャップが生まれます。

こうしたとき、とくにミドルマネジメントの重要性が増します。

トップの考えをどのように現場に落としていくのか、現場の実態とトップのビジョンとのギャップをどんな形で埋めていくのか。新しい事業を進めるスピードをどのようにマネージしていくのが最適なのかを経営層に進言するのも大切な役割です。

ミドルが起点になって、トップにアップしながら、その方向感を現場にダウンし、また現状とあるべき姿をアップすることを繰り返していきます。これができる推進チームをつくらなくてはなりません。

ビジョンをリードできる経営トップが重要なのは言うまでもありません。一方で、現場の実態を理解しながら現場の動機づけをしていく現場のリーダーも重要です。そして、ギャップを埋めるシナリオをどうつくるのか、どれくらいのスピード感で改革を進めていくのか、あるいは、今がいいタイミングなので一気に進めるなどのシナリオをつくる、このトップと現場のリーダーをつなぐ参謀となるミドルが必要です。

変革をしていくうえで、この3つの役割を持ったチームが求められます。しかも、このチームが10年の時間軸でやっていく必要があるので、トップは世代交代しながら、たすきを次につないでいくことになります。

たすき掛けをしながら、10年という時間軸で同じ方向感を持って変革のシナリオを回し続けていくことが非常に重要なのです。

以上、「10年変革シナリオ」を説明しました。

実例も交えて企業の変革について話しましたが、10年という時間軸で、自分自身をどのようにトランスフォームしていくのかということにおいても参考になる要素があると思います。自分の成長という観点からもヒントにしていただけたら幸いです。

第5章

講義のポイント

1 企業を持続的に成長させるためには10年の時間軸で経営を変革していかなくてはならない。

2 「今日の競争からキャッシュを得ること」と「未来の創造のための基盤に投資すること」を同時に実行することで変革を実現する。

3 「コア事業のディフェンス」「周辺の収益事業の構築」「成長オプション・ネタの創造」の3つのウェイブを回す（変革のシナリオを持つ）。

4 変革のシナリオに組み込むべき要素は「時間軸の投資ポートフォリオ」「市場創造」「パーパス」「投資家マネジメント」「ミドルアップダウン型推進チーム」。

5 経営トップは世代交代しながら変革のたすきを次につないでいく。

第6章

ファミリーマートのマーケティング戦略と北海道への示唆

株式会社 ファミリーマート エグゼクティブ・ディレクター、チーフ・マーケティング・オフィサー

足立 光

1968年生まれ。90年一橋大学商学部卒業後、P&Gジャパン（合同会社）入社。シュワルツコフ ヘンケル㈱社長・会長、㈱ワールド執行役員などを経て、2015年から日本マクドナルド㈱で上級執行役員・マーケティング本部長としてV字回復をけん引。18年9月より㈱ファミリーマートでエグゼクティブ・ディレクター兼チーフ・マーケティング・オフィサーを務める。著書に『圧倒的な成果を生み出す「劇薬」の仕事術』（ダイヤモンド社）など。

マーケティングは「商売」そのもの

今日は、「マーケティングとは何か」から始めて、現在私が進めているファミリーマートのマーケティング戦略のお話、そして最後に北海道について触れます。

さて、マーケティングとは何か――いろんな会社にはマーケティング部があり、マーケティングの仕事をしている人が多くいらっしゃいます。その方々に「マーケティングとは何ですか？」と聞くと、皆さん答えが異なります。

私は、マーケティングの第一義は「いろいろなコミュニケーションを行って、お客様の心を動かし、結果的に行動を変えること」ととらえています。

たとえば、「このシャンプーを買ってください」と広告して買ってもらうのも、選挙活動で「私に投票してください」と訴えて投票してもらうのも、マーケティングです。世界で一番大きなマーケティング・キャンペーンは、アメリカの大統領選挙だといわれています。それほどマーケティングとは幅広いものなのです。

私の定義の2つ目は「Do Everything, which Directly or Indirectly Build Business」（ビジネスを

直接的または間接的に構築するための、あらゆることを行う）です。どんなに素晴らしいアイデアでも実行できなかったら、あるいは失敗したら、まったく意味がありません。アイデアを実行に移すときにはいろいろなプロセスが発生します。それをきちんと回していくことです。マーケティングの仕事は、じつは企画の占める割合はごく一部で、実行が大半を占めています。

3つ目は「継続的に利益を生み出す仕組み（ブランドなど）をつくること」です。

企業は、新商品や新サービスで「一発当てる」のではなく、何回も継続的にヒットを生み出せる、再現性のある仕組みをつくらなければなりません。強いブランドをつくるのはその方法の1つです。イメージがよく知名度の高いブランドが確立できれば、新商品を出すたびに認知を獲得する必要はないし、ほかのブランドより高く売ることもできるかもしれません。継続的にヒット商品を生み出す「仕組み」をつくるのもマーケティングの重要な仕事です。

マーケティングというと、多くの人は広告販促をイメージしますが、マーケティングがカバーする分野は4Pにわたります。どんな商品やサービス（Product）を売るのか、いくらで（Price）売るのか、どこでどうやって（Place）売るのか、それからどう知らせる（Promotion）のか。じつは広告販促はマーケティングのごく一部でしかありません。

4Pに加えてCも重要です。誰に売るのか、というCustomer（顧客）です。

｜図表１｜マーケティングがカバーする分野

商品、サービス、値段、流通、プロモーション、そして誰に売るか――マーケティングはまさに商売そのものです。

さらに、マーケティングを考えるうえで大事なことがあります。３Ｃです。いろいろな戦略、または企画が３Ｃを満たすことができれば、競争優位性が生まれます。

３Ｃとは、お客様（Ｃｕｓｔｏｍｅｒ）に喜んでいただけること、自社（Ｃｏｍｐａｎｙ）が強い、または得意なこと、競合（Ｃｏｍｐｅｔｉｔｏｒ）がしにくいこと。この３つが当てはまっているものは、継続的に効果的な戦略となります。

なぜファミリーマートは負けていたのか

コンビニは10年ほど前まで店舗数をどんどん増やしていました。どのコンビニチェーンも、2015年ぐらいまでは店舗を増やせば売上が伸びていくという状態でしたが、今は全国各地に行き渡り、効率的な出店がしにくい状況になっています。

新しく出店する余地が少なくなったため、店舗数を増やして売上を伸ばすことは狙いにくくなりました。なので、今後は日商（1日当たりの売上）を伸ばさなくてはなりません。日商は〈客数×客単価〉で計算されます。1人当たりの来店回数を増やす、1人当たりの購入額を増やす、この2つによって日商を伸ばすことが成長するために必要になったのです。

日本のコンビニ大手は3社あります。A社、B社、ファミリーマート（ファミマ）です。2010年から20年までのデータを見ると、平均日商（全店）は、A社がずっと60万円を超えて1番。B社とファミマが50万円台前半でB社がファミマを少し上回っており、20年は2社とも50万円を切っています。客数はA社、ファミマ、B社の順です。客単価はファミマが最下位。これがつい3年ほど前の状況でした。

なぜファミマは負けていたのか——。コンビニを選ぶ理由は、アクセス・利便性、価格・コスパ、商品・品揃え、店舗・サービス、広告・販促などがあります。残念ながら、ファミマを選ぶ一番の理由はアクセス・利便性でした。「行きやすい」「日頃から使い慣れている」からです。要はそれ以外の特徴が弱かったのです。

また、じつはファミマのプライベートブランド（PB）商品は、競合よりちょっと量が多く、ちょっと安いことがほとんどです。売価引き（20円引きや30円引きなど）の回数も多い。つまりファミマはおトクなのですが、お客様にそういうイメージが伝わっていませんでした。

私がファミリーマートに入って最初に行ったのは、4Pプラスcの見直しでした。ファミマは、どんなお客様に相対し、何を特徴にしていくのか、これを決めなければ、いろいろな打ち手がぶれてしまいます。まずは4Pプラスcを会社の基本戦略として再定義しようと決めました。

どこに向けて何を訴求するか

私は「ファミリーマートのマーケティング戦略」を4項目にまとめました（**図表2**参照）。

その1つ目が「基本戦略の確実な実行」です。マーケティング施策の内容を、会社の基本戦略

| 図表2 | ファミリーマートのマーケティング戦略

#	項目	内容
1	基本戦略の確実な実行	① コア・強化ターゲットへの方向修正 ② 訴求・強化する価値に沿った施策への集中
2	顧客視点での、訴求・コンセプト強化	① コンセプト発想のカテゴリー横断施策強化 ② お母さん食堂、ファミコレ見直し（PB強化）
3	訴求を（少なくても）大きく、発信力強化	①「7つの自社メディア」での訴求最適化 ② 自社メディア＋外部「から」の発信力強化
4	来店目的の拡充・強化	① 売上・客数の多いカテゴリーの来店目的化を強化 ②「PB（食品）以外」の来店目的・顧客接点の拡大

である①コア・強化ターゲット、そして②訴求・強化する価値に沿った施策へ集中させることです。

われわれは食品などではなく、「ファミマってこういう会社だよね」という特徴を売っています。それをマーケティングの訴求内容としました。

ファミマのお客様をセグメント（区分）すると、コアセグメントは20～50代男性。これが間違いなく短期的な収益基盤です。範囲が広いと思うかもしれませんが、20～50代男性はほとんど嗜好が変わらないのです。10代でも50代でもカツ丼を買う。量が多い、ガッツリを求めます。

ファミマは、30～50代女性と、人口の

3割近くを占めていて今後も増えていく60代以上のシニア男女の2つでA社に圧倒的に負けていました。ここを強化セグメントとしました。ここをもっと伸ばさなくてはいけない。

10代、20代は維持セグメントとしました。理由は2つあります。ファミマは10代、20代にすでにとてもいいイメージを持たれていること。そして、このセグメントはマーケットがすごく小さく、購買額が少ないので、強化ターゲットから外しました。

まずコアセグメントである20〜50代男性に必ず受けるもの、追加で30〜50代女性やシニアに受けるものやサービスに取り組もうと決めました。4Pの「プロダクト」の方針です。

そして、「訴求する価値」と「強化する価値」の2つを定めました。訴求する価値は、マーケティング用語で言うと「Point of Difference」。競合より優位性があるところです。強化する価値は「Point of Parity」。競合に勝たないまでも、負けないところです。

優位性のあるポイントとして、「ちょっとお得」を訴求していく。負けないポイントとしては、「おいしさ、ワクワク感、安全・安心、使いやすさ、買いやすさ、働きやすさ」を訴求していくことになりました。

「ちょっとお得」の背景は、コロナ禍による所得格差の広がりです。コンビニには定価販売のイメージがありますから、「ファミマのほうがちょっとお得」と理解してもらえたら、強い来店理由になると考えました。

そして競合との差別化。日本ナンバーワンのコンビニチェーンA社は、圧倒的な収益性の高さが強みです。A社はスーパーマーケットなどのグループの1社ですが、そのグループを利益で支えているのがA社なのです。だから、A社は収益性を落とすようなことはやりにくいはずです。つまり、A社は「お得」を打ち出しにくい。B社も高級スーパーとコラボしたりして明確に高級志向ですから、「お得」はやりにくいと判断しました。

「安い」や「お得」は安っぽく聞こえますが、ファミマは以前から、ファミチキ先輩を起用したCMなど、ちょっと面白おかしいイメージがあったので、そのイメージを活用すれば、安っぽくならずに「お得」を訴求できるだろうとも判断しました。

「おいしさ」はあえて勝つポイントに含めませんでした。コンビニは食品を扱っているので、「あそこのご飯、おいしいよね」というのは、間違いなく強い来店理由になります。しかし、たとえば「どこのお店がおいしいですか」とアンケートをとると7割ぐらいの人が「A社がおいしい」と言うのです。パンもコーヒーもA社だと言う。しかし、ブランド名を見せずにテストするとファミマはほとんど負けていません。イメージで差がついているのです。

A社は日本ナンバーワン好感度企業でイメージがとてもいい。知名度もあります。そこで、いきなり「ファミマおいしいよ」と言っても信じてもらえない。そのため、いくつかの領域に絞って「おいしい」というイメージを構築していくことにしました。

定番品を強化し重点カテゴリーを定める

「おいしさ」の強化で最優先したのは定番品です。コンビニの売上の大半がじつは定番品だからです。とくにシニアの方は、ほぼ毎日、定番品を召し上がります。定番品がおいしいと思ってもらわなければ、シニアに振り向いてもらえません。

定番品を強化し、さらに「チキン」「スイーツ」「パン」を重点カテゴリーとしました。後日、米飯も重点カテゴリーに加えました。

チキンに関しては、ファミチキという人気商品がありますが、それしかなかった。そこで、ファミチキの強みをほかに展開していくこと、また、ファミチキ以外でも強いチキンの商品を確立していくことにしました。スイーツは、もともとB社とファミマが比較的イメージがいいので、さらに伸ばしていくことにしました。

スイーツの1つにアイスがありますが、A社のアイスの棚を見るとほとんどがPB品です。

ＰＢ品のほうが、ナショナルブランド（ＮＢ）品よりも圧倒的に収益性が高いため、Ａ社はＮＢ品を扱えば収益性が落ちます。そこで、ファミマではＰＢ品の割合が少ないことを強みにして、ＮＢの限定品をどんどん打ち出していけば、競合は真似しにくいだろうと判断しました。

パンについても、「どこの会社がおいしいと思いますか？」と聞くと、8割ほどはA社がおいしいと言うのですが、これは完全にイメージです。日本のコンビニで販売しているパンをつくっている会社は同じなのです。つまり、パンはイメージだけがポイントなので、うまく訴求すれば強みになると判断しました。

このように、1つ目のマーケティング戦略「基本戦略の確実な実行」を進めていきました。どんなお客様に何を訴求していくかを定めて、それを確実にやり続けたのです。

つい2年前（２０２１年）、ファミリーマートは設立40周年を迎えました。そのタイミングで、勝つところ（Point of Difference）と負けないところ（Point of Parity）を集約し、5つのキーワードを打ち出しました。「もっと美味しく」「たのしいおトク」「〝あなた〟のうれしい」「食の安全・安心、地球にもやさしい」そして「わくわく働けるお店」の5つです。

その後は、5つのキーワードで表現される施策「だけ」を実行していきました。たとえば、「ファミマル」という新しいプライベートブランドを打ち出しましたが、これはまさに「定番」

の「おいしさ」強化です。2年前にはクリスピーチキンを新しいチキンの定番品として発売しています。ファミチキ以外のチキンの定番をつくる試みです。

それまでスイーツは毎週新商品を出していました。すると今週の新商品は、翌週に新商品が出ると棚からなくなるため、なかなか定番化できませんでした。そこで大型新商品の翌週は新しいものを出さず、必ず2週間は棚に置いておくことを徹底しました。

パンの定番といえばメロンパン、カレーパンです。これをさらにおいしくすることで、たくさんの方にファンになってもらおうと始めたのが、ファミマ・ザ・メロンパン、ファミマ・ザ・カレーパンです。

2年前に定番化を狙って新商品のＳＰＡＭむすびを出しました。戦略商品です。どんなに売れても競合のコンビニは出すことができません。ＳＰＡＭというブランドの日本総代理店が、ファミリーマートの親会社の伊藤忠商事だからです。

顧客視点でコンセプトを強化する

ファミリーマートのマーケティング戦略の２つ目は「顧客視点での、訴求・コンセプト強化」

です。

「カテゴリー購買率」というものがあります。コンビニの来店客の何パーセントがどのカテゴリーの商品を購入するかというデータです。一番多いのはドライ飲料（ペットボトルのお茶など）です。購買率の上位と下位のカテゴリーには、大きな差があります。

顧客訴求のためにキャンペーンを打つときには当然、投資対効果を重視します。投資効果が高いのは購買率の高いカテゴリーです。多くのお客様に買っていただける効果が期待できますから。しかしそれでは、いつまでたっても下位のカテゴリーに日が当たりません。そこで1つのコンセプトのもとで、カテゴリー横断のキャンペーンを行うことにしました。そうすれば、普段はキャンペーンできない購買率の低いカテゴリーにも日を当てることができます。

たとえばカレー祭り。パウチのカレー、カレーパン、カレー味のファミチキ、カレー味のポテトチップス、カレー弁当。このように、「カレー」を打ち出すことで、普段地味な扱いのカテゴリーにも日が当たるわけです。40％増量キャンペーンもカテゴリー横断です。焼き鳥、チキン、サラダ、弁当、マーボー豆腐、ポテトチップスまでご提供しました。

このように、カテゴリー横断キャンペーンでは、いろいろなカテゴリーを1つのキャンペーンでいっぺんに日を当てることができるわけです。

コンセプト強化として、プライベートブランド（ＰＢ）の見直しも行いました。

1年半ぐらい前までファミマには3つのＰＢがありました。「FamilyMart Collection」、そこから派生してできた「お母さん食堂」、それから「FamilyMart」というブランドも使っていました。「FamilyMart Collection」は原料や製法などにこだわりがあるのですが、それが伝わりにくいネーミングでしたし、名称が長すぎる。

「お母さん食堂」は、もともと「FamilyMart Collection」だったこともあって、どのカテゴリーが「FamilyMart Collection」なのか、「お母さん食堂」なのかわかりにくいという問題もありました。

そこで、既存のＰＢの統合ではなく、新しいブランドをつくることを決めました。それが「ファミマル」です。「ファミマの二重丸（太鼓判）」という意味です。キーワードは「おいしい、うれしい、あんしん」としました。

新ブランド「ファミマル」に関しては、とても強い打ち出しを行いました。「負けていたのは、イメージでした。」という新聞広告を打ちました。「どちらのコンビニのハンバーグがおいしいと思いますか?」という見出しで、業界1位のA社対ファミマという図を描いたのです。イメージでは88％がA社ですが、試食後にA社を「おいしい」としたのは44％。これは比較広告といって、日本ではいろいろな規制があってやりにくいのですが、あえてそうしたのは、強いメッセージを出したかったからです。

渋谷の駅前に「そろそろ、NO．1を入れ替えよう。」という看板も出しました。こういった話題性を狙ったのには意味があります。

「ファミマはおいしい」というイメージが弱かったので、それを「リニューアルしておいしくなりました」と言っただけでは、なかなか信じてもらえません。そこで、ファミマルというブランド誕生のタイミングでファミリーマートに注目を集めることを狙って、尖った広告を打ったのです。「おいしくなった！」というキャンペーンに注目を集めるために、「そろそろ、NO．1を入れ替えよう。」など、話題になりそうな尖ったコミュニケーションを実行しました。

メッセージを伝えるための3つのメディア

3つ目は「訴求を（少なくても）大きく、発信力強化」です。メッセージをどのように広く強く伝えていくか、です。

ファミリーマートが駆使しているメディアには、自社メディア（オウンドメディア）、稼ぐメディア（アーンドメディア）、広告（ペイドメディア）の3つがあります。

はじめに手がけたのが自社メディア（オウンドメディア）の最適化です。ファミマが使っているメディアで一番大きなものは、店頭の看板、店頭のポスター、店内放送、レシートなど、オウンドメディアです。これが圧倒的に強くお客様の認知につながるからです。

次に力を入れたのが、稼ぐメディア（アーンドメディア）。ＰＲ、記事、ＳＮＳなどです。最後に広告（ペイドメディア）。テレビや新聞などの広告です。ファミリーマートの広告宣伝費は競合より少ないので、ペイドメディアの量では絶対に勝てません。

そこで、まずはオウンドを考えて、そのメッセージをブーストさせるためにソーシャルをどう使うかを考え、それをさらにブーストさせるために広告をどう使うかを考える、というように考える順番を変えました。たとえばクリスピーチキンでは、店頭の看板やポスター、それからX（旧ツイッター）のキャンペーン、次にＰＲイベントと同じメッセージを同時に同じビジュアルで伝えていくことができました。

オウンドメディアの中で非常に重要なものが2つあります。1つはアプリです。ダウンロードした方と直接コミュニケーションができますから、とても効率的です。ファミマではいろいろなキャンペーンを行って、２０２３年現在で１８００万ダウンロード。2年間でユーザーの数を数倍にしました。

もう1つはSNSです。うまくいくと一気に広がって話題化されます。Xで話題になると、それが他のSNSや2ちゃんねるなどで話題化されます。すると、いろいろなまとめサイトができ、テレビで「今、Xでこんなものがはやっています」と取り上げてもらえます。

ファミマでは、X、インスタグラム、ティックトックと優先順位をつけて取り組んでいます。話題化に関してはXが圧倒的に強いメディアで、ファミマのフォロワーはこの2年間で数倍になり、今500万ほどになっています。

「カレー祭り」を行ったときには、国内3店舗だけ看板をカレー色に変え、ソーシャルを打つときに住所は示さず、3店舗の緯度・経度だけを投稿しました。すると、「なんだこれは?」とSNSで話題になりました。

ファミマから発信するだけでなく、外部からの発信も強化しました。ファミマではいろいろなメーカー様の限定品を販売しています。これらをファミマからだけではなく、メーカー様側からも発信してもらえれば、普段ファミマが到達できないお客様にもニュースが伝わる可能性が増えます。

たとえば、メーカー様とは相互リポストの形で、われわれが発信したものをメーカー様にリポストしていただいたり、メーカー様が発信したものをわれわれがリポストしたりしています。

お客様の来店目的を広げる

ファミリーマートのマーケティング戦略の4つ目は「来店目的の拡充」です。

先に、カテゴリー横断のキャンペーンについてお話ししました。購買率の低いカテゴリーにも日を当てる施策ですが、購買率の高いカテゴリーをさらに伸ばすことも、もちろん重要です。

その例が「ファミマのボトルキープ」というもので、ファミマのアプリでペットボトルを24本まとめて買うと、5本無料になるという施策です。これは、お客様の多いドライ飲料のカテゴリーで、来店客数をさらに増やすことを狙っています。同じように、いろいろなドリンクをファミマ限定で出しています。コーヒーやパンも客数が多いので、いろいろな限定コラボを実施したりしています。

たばこはコンビニで2番目にお客様の数が多い商品です。法的な規制をクリアしたいろいろな試みを行っています。たとえば、ファミマでたばこを買うとアプリに割引クーポンがどんどん入ってきます。たまに、たばこの無料券も当たります。たばこはどこで買っても同じだとみんな思っているのですが、ファミマで買うとじつは「ちょっとおトク」なのです。

コンビニに行くのは食べ物以外にも、衣類を買う、ハンカチを買うなど、いろいろな目的があります。そこを強化するため、「コンビニエンス・ウェア」というブランドをつくって、「いい素材・いい技術・いいデザイン」で衣料品をリニューアルしました。

お客様との接点を増やす取り組みも行っています。たとえば、住友生命の「Vitality」という、健康的な生活をするとポイントがたまる生命保険があります。たまったポイントでいろいろなものがもらえるのですが、その中にファミマのコーヒーも入っています。このように、普段ファミマと接点が少ない方の来店機会を増やせるように、いろいろな企業と取り組みをしています。また、アニメやゲームなどのＩＰ（知的財産）との取り組みも大きく強化してきました。

以上、ファミリーマートのマーケティング戦略の概要についてお話ししました。まとめると、ファミマに「行く理由」を継続的に、話題になる尖ったコミュニケーションで、すべてのメディアを使って、「大きく」連続的に伝えて話題化していく――。

結果だけお伝えすると、今ファミマは絶好調です。A社とファミマの既存店客数の前年比推移データを見ると、ファミマは、32カ月連続でA社を上回っています（２０２３年11月現在）。

マーケティングの観点で見た北海道の観光

最後に、北海道の観光について触れます。

北海道は自然が豊富で、観光地も多く素晴らしいところです。しかし現実として、たとえば、トリップアドバイザーの「日本の観光スポットＴＯＰ30」には、北海道は旭山動物園しか入っていません。

「日本で絶対に外さない観光スポット１００」には、63位にニッカウヰスキー余市蒸溜所、79位に知床五湖、81位にニセコ東急グラン・ヒラフ、86位に神威岬、この4つしか入っていません。北海道の魅力が十分に認知されているとはいえません。

何が足りないのか考えました。今日はファミリーマートを例にコンセプトとターゲットの話をしましたが、北海道はいったいどこを狙っているのか、引きつけたいお客様は誰かが、道内で共有されていないように思います。

「なんとなく、ごはんがおいしい」「なんとなく自然がある」というコミュニケーションをいろいろな地域でぱらぱらと行っている印象です。悪い例を出して申し訳ないのですが、たとえばある北海道の旅行代理店のホームページには、「バスツアー９８００円」と「アルファード貸し切りプラン５万円」の両方が同じページに載っていたりします。これはターゲットが明確ではない例です。９８００円と５万円では、明らかに利用者が異なります。

先に話題化の話をしました。広告を打つお金がないのであれば話題化すればいいと思います。たとえば、北海道ではいろいろなイベントが年中あちこちで行われています。これを話題化して発信できているでしょうか。札幌雪まつりは毎年ニュースになりますが、それ以外のイベントは、全国的にはあまり話題化されていないように感じます。

今日はお話ししませんでしたが、ＣＲＭ（カスタマー・リレーションシップ・マネジメント）というものがあります。私はこの４～５年間でほぼ全道の主要地域に足を運びました。しかしその後、訪問した場所や宿泊したホテルから、ただの一度も「またいらしてください」という案内や広告を受け取ったことがありません。

４月にアメリカのマイアミから帰ってきたあとは、「今度はこんなイベントがあるので、また来てください」という案内がたくさん届きました。４年前に行ったきりのシンガポールからは、今でもいろいろなイベント情報が来ます。

一度訪れた地には馴染みが生まれ興味が深まっていますから、一度来たお客様にアプローチし続けることが重要です。ＣＲＭはマーケティングの基本的な要素です。

日本を飛び越えて世界にアピールする手もあります。日本人は知らないけれど海外の人から人気があるという観光地をつくるのです。そもそも、ニセコがそうでしたよね。

ＥＰＩＣ ＰＡＳＳという世界8カ国66の山岳リゾートを利用できる国際的なスキーパスがあります。そこに２０２１年からルスツ（留寿都村にあるリゾート施設）が入りました。それによって、世界のスキーヤーたちがルスツに滑りに来るようになりました。国内ではなく、最初から世界の目的地に入った例です。

北海道は食がおいしいといわれます。しかし、北海道にはアジアのベスト50に入っているレストランはありません。ちょっと前、２０１７年のミシュランでは、北海道で星がついている店は7つ「しか」ないのです。北海道は本当に食を売りにしているのか、疑問です。

「北海道は田舎だし、そんなレストランはできません」と言う人がいますが、まったくそんなことはありません。

スペインの田舎にサン・セバスティアンという街があります。行くのに大変不便な場所ですが、今ヨーロッパでナンバーワンの美食の街と言われ、世界中から多くの人が訪れています。北海道も美食の場所として世界に響くようなイメージを確立することができるはずです。

マーケティングの観点からすると、北海道はコンセプトとターゲットが明確でない、または関係者の間で共通認識がない、メッセージが尖っていない、話題化されていないから認知がない、一度行った人に対する組織的なフォローアップがないなど、改善するところがいっぱいあります。北海道にしかない魅力が埋もれてしまっています。

魅力を、響くメッセージにして、わかりやすく世界に発信していくことができれば、北海道の観光は間違いなく伸びていくと確信しています。

第6章

講義のポイント

1 マーケティングの基本は、いろいろなコミュニケーションを行うことで、お客様の心を動かし、結果的に行動を変えること。

2 どんなお客様に相対していくのか、何を売り物にしていくのかを決めなければ、打ち手がぶれる。

3 顧客視点で訴求・コンセプトを強化し、尖ったコミュニケーションで話題化する。

4 自社だけでなく、他社との協力などによって、お客様の来店目的を多様化する。

5 コンセプトとターゲットを明確にし、魅力的なメッセージで世界に継続的に発信すれば、北海道の観光は発展する。

第7章

No Community, No Life

株式会社studio-L 代表／関西学院大学建築学部 教授

山崎 亮

㈱studio-L代表。関西学院大学建築学部教授。コミュニティデザイナー。社会福祉士。1973年愛知県生まれ。大阪府立大学大学院および東京大学大学院修了。工学博士。建築・ランドスケープ設計事務所を経て、2005年にstudio-Lを設立。地域の課題を地域に住む人たちが解決するためのコミュニティデザインに携わる。著書に『コミュニティデザインの源流』（太田出版）、『縮充する日本』（PHP新書）、『ケアするまちのデザイン』（医学書院）などがある。

人口減少時代の「適疎」と「縮充」

僕が代表を務めるstudio-Lという事務所は公共空間の設計を仕事としています。公共空間とは、公園や博物館、美術館、道路、橋などです。設計を依頼されたときには、そこを利用するコミュニティの人たちの意見を聞きながらデザインを考えるので、僕は自分の仕事を「コミュニティデザイン」と呼んでいます。

これまで建築家は、「構造的に成立すること」「使いやすいこと」「ある程度の予算に収めること」「空間が快適で美しいこと」、この4つの条件を満たしながら、公共の建築物をつくり続けてきました。しかし、使う人たちの意見を聞くことを長い間忘れていました。じつは世界中の建築家が、使う人たちの意見をあまり聞かずに公共建築を設計してきたのです。

住宅を設計するときは、建築家は使う人の意見をちゃんと聞きます。お父さん、お母さん、あるいは娘さん、息子さん、犬猫の意見も聞くかもしれない。意見を聞きながら、「そんなふうに暮らしたいなら、こんな空間がいいですね」と提案します。ところが、この建築家が有名になって、住宅だけではなく、集合住宅、図書館、博物館などを設計するようになると、急に使う人の意見を聞かなくなる。というのも、利用者が不特定多数になって顔が見えないので、たとえば、市長や教育委員会の教育長の意見を聞いて博物館を設計するようになります。こうしてでき上がった公共建築は、使いにくかったり余計なデザインがされていたりするのです。

そして、建築家は自分の「作品」をつくろうとしてきました。建築のメディアに載るようなかっこいい建築物をつくって有名になって、次の仕事がもらえるようにしてきました。しかし、これがわれわれ建築業界の反省点です。そんなことをやっている間に信頼されなくなってしまいました。

今、人口減少社会が訪れています。人口が減るのに、まだ公共空間を設計する必要はあるのか？　今から15年ほど前にそんな時代が到来したのですが、地方にある都市はより以前から気づいていました。人口は減っていくし、余計な公共建築をつくる必要はないし、使う人の意見を聞かずに設計するようなデザイナーには頼みたくない。人口減少が早く始まった地域の人たちは敏感に気づいていたはずです。

そんな中で、僕は「適疎（てきそ）」という言葉をつくりました。適切にまばらです。過疎や過密ではない。過疎はまばら過ぎるし、過密は密過ぎる。東京も大阪も密過ぎる。お昼ご飯を食べるのに店の前に並ばなくてはいけないような状態はあまりよくない。

そこで僕は、公共空間を設計するときには、その空間を利用するコミュニティの人たちとワークショップを行って、適疎とはどんな状態かを考えるところから話し合います。

もう1つ、僕がよく使う言葉が「縮充（しゅくじゅう）」です。

人口が減少するときは「縮減」「縮退」という言葉が使われ、人口が増えているときは「拡大」「拡張」「拡充」という言葉が使われますが、僕は「縮充」という言葉で考えてみます。縮みながら充実していく小樽の町ってどういう町だろう？　縮みながら充実していく北海道ってどういう状況だろう？　と。こう考えてみると、将来の仕事のヒントが生まれてくるかもしれません。

「人口が減っていく中で人々が充実していく」とはどういうことでしょう。たとえば、5人のアイドルグループから1人抜けて4人になったら、4人組のほうがよいグループになった。これが縮充です。しかし、この4人は相当頑張らなくてはいけない。人口50万人だった町が40万人に減りながらよりよい町になるには、40万人が学び合い、アイデアを出し合わなければいけません。

コミュニティデザインでは、地域の方々200～300人に集まっていただき、学び合いをしてもらい、活動を起こしていくために、5～6人ずつのグループに分かれてワークショップを行ってもらいます。

地域の縮充状態をつくる、住民にとって適切にまばら（適疎）が心地よいと思える状況をつくる、われわれはそんな仕事を行っています。

施設の完成まで活動の練習をしてもらう

滋賀県に草津川という川がありました。町よりも高い位置を流れる天井川（てんじょうがわ）として全国的に有名でした。草津川の下をＪＲの線路が走っています。川が線路より上にあるのです。河床上昇といって、川の床に土がたまっていくと洪水が起こりやすくなるので堤防を上げます。堤防を上げると、そのうち川の底がさらに高くなって洪水が起こりやすくなります。そこでまた堤防を上げて、とやっていくと、自分たちの背丈よりも上に川が流れている状態になります。こうした状態で洪水になると大変危険なので、川をつけ替えました。

廃止された川を廃川といいますが、その土地は細長い空き地になります。草津川の跡は長さ7キロメートルほどの空き地になりました。

草津市役所から「空き地を公園にしたいので、コミュニティデザインで進めてくれないか」と連絡をいただき、われわれは草津川跡地の活用プロジェクトに取りかかりました。まず、周辺地域に住む人々、将来公園を利用する人たちに集まっていただき、「公園で将来どんなことをやりますか？」「どんな活動をしたいですか？」と聞きます。

さまざまな意見を構造化し、デザインに反映させて設計図をつくります。ここまでがコミュニティデザインの半分です。まだ半分が残っています。

次に公園予定地に行って、「こんな活動をやります」と言った人たちに、活動の練習をしてもらいます。そして、「ヨガ教室をやりたいと言っていた人は、どのくらいの広さが必要ですか？」「夜に映画を上映したいと言っていたチームは、暗くて困るところはないですか？　階段に照明を入れませんか？」などと聞いていきます。

「ああ、暗くなるとつまずきそうだから照明いるね」「ここスロープにしてもらったほうがいいね」などという意見があがってきたら、図面を描き直します。このように使い手の意見を聞きながら、空間の設計に加えていきます。

最終設計が完成すると工事業者が作業を始めますから、市民の方々は現場には入れませんが、まだ終わりではありません。市民の方々は、工事現場以外の場所で活動の練習を続けます。駅前広場、大学の敷地、駐車場、空き地、空き店舗など、市内の至るところを借りて、完成までの1年半、将来公園でやろうと思っている活動を練習し続けます。毎月1回練習を行い、その間に工事が進みます。

どのように練習するかといえば、公園で利用者にコーヒーを振る舞いたいという人は、どんなコーヒー豆をどこから手に入れるのかを考えます。たとえば、フェアトレードでいい豆を仕入れて、その豆をきっちりとドリップして飲んでもらえるように準備する。器具や食器なども用意します。一方で、活動に参加する人たちは「公園ができたら、私たちが活動するので遊びに来てくださいね」などとほかの住民にＰＲします。

いよいよ公園がオープンを迎えると、活動する人たちが市民を「ようこそ」と迎え入れます。イベント業者でもなく役所の人たちでもなく、普通の市民が市民を迎えます。大切なことは市民の活動です。市民が市民をお迎えする状態をつくるのです。

草津市の例でいえば、人口13万人ほどの市で２００人ぐらいの市民が活動した話であり、われわれはその人たちの意見を聞いただけです。しかし、公園へ行くと5つくらいの団体が活動しています。それを見た市民の中から、「私も公園でこんなことをやりたいんだけど」と思う人たちが出てきてくれることが大事だと考えています。

公園内のパークセンターにはわれわれの事務所のスタッフが常駐しています。コミュニティコーディネーターという仕事で、「公園で活動したい」と言って企画を持ち込む人たちをサポートして活動ができるようにするなど、コミュニティの方々を支援します。

ふつう公園にはブランコや滑り台があって、訪れた人たちはそれぞれ勝手に遊んで、お弁当を食べたりして帰りますが、この公園は、人々が出会ったり新しい活動をやってみたりする場でもあります。人々がいろいろな活動を行っていて、その人たちと出会える楽しみがあります。「今日、公園にあの人いるかな？」と思いながら訪れることができるのは、公園の一つの価値ではないかと思います。

人とのつながりを生み出す仕事

もちろん、コミュニティデザインは公園だけに当てはまるものではありません。病院をつくってほしいと言われれば、同じように地域の人たちに集まっていただいて、その意見を聞きながら病院を設計し、その後、病院で活動してくれる市民を募ります。病院の中で読み聞かせを行うグループ、マルシェを開くグループ、カフェをやるグループができます。このように、病院をつくるのも公園をつくるのと似たようなものです。

愛知県安城市の図書館が入った複合施設、宮崎県の延岡駅の駅舎を新しくするプロジェクトを手がけたときも、地域の人たちに集まってもらって、施設や駅舎の中でさまざまな活動ができるように設計しました。

美術館、図書館、新聞社、駅舎、病院、介護施設など、何か施設をつくってほしいと言われたら、使う人たちの意見を聞きながら設計をし、同時にその人たちが活動したくなるような状況をつくる。これがわれわれの行っているコミュニティデザインです。

最近は、建物は建てないけれど、コミュニティデザインをしてくれないかと言われることが増えてきました。医療や福祉の活動を地域でやりたい、教育の活動を地域でやりたい、社会教育の活動を地域でやりたいので、活動を生み出してほしい。あるいは、町の中に健康で長生きできるような状況をつくってほしい、人とのつながりを生み出してほしいと依頼されることが増えました。

僕は社会福祉士の資格を取ったのですが、それは、建物を建てることを前提に仕事をしていても意味がない時代が到来したからです。15年前なら人口が減少すると言われながらも建築の設計を頼まれましたが、2020年くらいからは、建てようという話も出てきません。「人口が減ったので新しい建物を建てる必要はない。市民の活動を生み出してほしい」と言われることが増えてきました。

門徒の減少を食い止めたいお寺

北海道の根室市に真宗大谷派の根室別院というお寺があります。根室は人口2万7000人余りの市で、そのお寺から「門徒さんが減ってきたので何とかしたい」という相談を受けました。お寺を建ててくれという依頼ではありません。門徒が減ってきた原因は、地域の少子高齢化と若い世代の門徒離れです。

もともとは僕が、京都にある真宗大谷派の本山（東本願寺）で行われた浄土真宗の総会に呼ばれて、3000人のお坊さんの前でコミュニティデザインについて講演したのがきっかけでした。大谷派の幹部の人たちが、浄土真宗もコミュニティデザインをやるべきだと考えたようなのです。その後、東本願寺が、コミュニティデザインによってお寺を元気にする実験をやろうと、全国の大谷派の寺院に募集をかけたとき、手を挙げたのが根室別院の住職でした。

根室別院には輪番と呼ばれる住職と6人の列座と呼ばれる若いお坊さんがいます。輪番はお寺を何とかしたいと思っているわけですが、社長が張り切っている会社で社員が白けているように、列座たちはわれわれのことをちょっと冷ややかに見ていました。

われわれが飛行機に乗って根室に行くと、輪番がもてなしを用意してくれているのですが、列座の若い衆は「仕事増やさないでくださいね」という顔で僕らを見ています。だから、お寺を元気にしなくてはいけないけれど、若い衆の仕事は増やしてはダメだなと思いました。お坊さんたちが何もしなくてもいいように、地域の人たちがお寺を盛り上げる状態をつくらなくてはいけないと考えました。

まず町なかで、「〇月〇日〇時から根室別院でワークショップ、寄り合いをやりますからいらしてください」とチラシを配りました。お坊さんたちにも、門徒さんにかぎらず声をかけてくださいと頼むと、宗派、宗教に関係なく多くの人が来てくれました。

ご本尊を前に畳の上でワークショップを行うのは初体験でしたが、最初、集まってくれた人たちに「お寺には入りにくいですか？」と聞きました。「入りにくいよ」「そうですか」「宗派が違ったらよけい入りにくいね」「なるほど」「お寺には何か見えないバリアがあるような感じがする」「わかりました。だからみんなお寺に来ないのですね」というような会話をしました。

そこでわかったのは、お寺は、宗派が異なる人たちや若い人たちには入りにくいこと。お寺に入ることは、敷居が高いと感じているのです。「では、皆さんにとって入りやすいのはどういう施設ですか？」と聞くと、皆さん「カフェだ」と言うのです。５００円か６００円払ってカフェラテでもオーダーすればそこにいていいわけですから。

ということで、地域の人が寺の中でカフェを開いて、ほかの人たちを呼び込んでくるようにしたらどうだろうと考えました。

「寺カフェ」でコミュニティを活性化

かつて寺院はいろいろな役割を持っていました。葬儀、医療、教育、歳事、福祉、行政などです。たとえば行政では、お坊さんは文字が書けましたから、北海道では、屯田兵で入ってきた人たちも含めて、お寺で戸籍の登録を行っていました。では、今お寺は何をするのか——。

お寺の入り口をカフェに替えたあと、その奥でお寺がやらなくてはいけないことはたくさんあります。グリーフケア（魂の痛みのケア）、仲間づくり、終活、孤食防止などさまざまありますから、カフェを入り口に入ってきてもらい、その後大切なことを伝えていくのはどうだろうと考えました。

地域の方々と一緒にカフェをやることを決めてから、80人ほどで人生１００年時代を考えるワークショップを実施しました。「われわれの人生は20歳ぐらいで絶頂だったけれど、40歳ぐらいで落ち込んでいる」など人生を振り返ってもらい、カフェを利用してやりたいことを考えてもらいました。そして、やりたいことが一致する人たちで8つのチームをつくりました。

食をテーマにしたチーム、ものづくりをテーマにしたチーム、畳の上でヨガをやるチーム、町歩きをやるチーム、映画を上映して感想を共有するチームなどができました。お寺カフェでいろいろな活動を行うことにしたのです。

映画上映チームは、メンバーの1人がＤＶＤをたくさん持っており、そこから人生１００年を考える映画を選んで上映し、感想を話し合うことにしました。そのメンバーの中にたかちゃんと呼ばれる60代の女性がいました。もともと熱心な門徒さんなのですが、なぜかやる気がなさそうなのです。

一度チーム6人で上映会をやってみたそうです。お寺にあったパソコンとプロジェクターで映画を投影したのですが、パソコンから出てくる音では全然臨場感がない。どこかにスピーカーはないかと話し合っていると、たかちゃんが急に話し始めました。じつは彼女は2週間前に旦那さんを癌で亡くしたばかりだったのです。悲しくてずっと家にこもっていたのですが、友だちに無理やりお寺に連れてこられたのでした。

「スピーカーなら家にあるよ」とたかちゃんが言うので見せてもらうと、大きな平面スピーカーやアンプなど立派なステレオセットがありました。旦那さんの趣味だったそうで、見ると旦那さんを思い出して悲しいからシーツをかけていたそうです。彼女はそれらをお寺に寄贈しました。これで迫力のある音で映画が見られる、盛り上がるということで、たかちゃんは映画上映チームの中心メンバーになりました。

1カ月後、僕が再び根室へ行くと、たかちゃんはノリノリで、立ち上がって地域の長老の方々にもいろいろと指示を出していました。チームの活動が彼女の気力を取り戻すきっかけになったのだろうと思います。

こうした根室別院でのコミュニティデザインの活動は根室新聞も取り上げてくれました。

ワークショップで名前やロゴを決めていく

その後、寺カフェでは、店名を決める、ロゴマークをつくる、メニューブックをつくるなどのワークショップを行っていきました。

カフェの名前は、みんなに付箋を3枚ずつ配って候補名を書いてもらって貼り出し、よいと思った名前に「いいね」のシールを貼ってもらって3案に絞りました。「極楽茶房」「冥途カフェ」

「日の出カフェ」、このうちどれにするか、80人みんなで話し合いました。根室は日本で一番日の出が早いので、日の出カフェがいいということになり、次にそのロゴマークを考えていった。お寺からちょっとお日様がのぞいているデザインに決め、それを箸袋、メニューブック、名刺などに展開していきました。

途中から「朝ごはんカフェ」をやるチームが出てきました。朝6時半からお勤めをして、7時からビュッフェ形式で朝ご飯を提供するチームです。高齢の男性は、奥さんが施設に入ったり亡くなったりした場合、朝ご飯に困るのです。昼夜は外で食べられますが、朝が困るということで、朝ご飯だけでもサポートしようと始めました。

たかちゃんは新しく「お手紙カフェ」を始めました。大切な人を亡くした方々が手紙を書きます。生前に伝えられなかった想いをしたためると、少し気持ちが収まります。お手紙カフェは全国にあるそうですが、ここでは手紙をお寺に納めてもらえば供養になります。

われわれは根室別院でのコミュニティデザインに3年間関わりましたが、1年くらい不満を持っていた人たちがいました。若いお坊さんたちです。しかし、住民が盛り上がっているのを見て、自分たちも何かやりたくなってきたようです。

彼らは「坊主バー」を始めました。金曜日の夜、ご本尊の前でお酒を飲むバーを開いているのです。若い女性に人気だといいます。たくさんお酒を飲んで深酔いしても危険がない。安心して飲めると言ってやって来るそうです。

飲んで酔っ払っていろいろ話していると、最後は人生相談になります。そのときに「そういえば親鸞聖人はこうおっしゃっています」とお坊さんからのありがたい言葉がすっと出てくる。普段の会話で「親鸞聖人が……」などと言われてもよく理解できませんが、飲んで話していると違和感がありません。いい取り組みではないでしょうか。

寺カフェの活動資金については、お寺からは出ませんから、自分たちでつくらなくてはいけない。それで年に2回ほどバザーを開いています。近所に住んでいる人たちに要らないものを持ってきてもらい、それを売って利益を年間の活動費にする。20万円ぐらい売上があるそうです。その20万円でイベント告知のチラシを印刷したり、割れてしまったお皿を買い替えるなどします。

「生活協同組合」の仕組みが見直されている

今日の講演会はコープさっぽろの主催ですが、われわれは以前、関西のコープこうべで、組合員、職員が一丸となって地域に貢献する活動を生み出していくコミュニティデザインを実施したことがあります。「次代コープこうべづくり」というプロジェクトで、ワークショップを担当しました。

「コープこうべの未来を考えよう」というワークショップの中で、「コープは地域の人たちと一緒に活動しなくてはいけないのではないか」という意見が出ました。コープとは生活協同組合で、発祥からすれば、組合員の中から職員が生まれて、本来は組合員と職員の区別はなかったのですが、組織が大きくなり、職員は働いている人、組合員は買いに来る人と分かれてしまった。この区分をもう一度なくしつつ、組合員になっていない人たちとも一緒に地域で活動していこうということになりました。

最初に職員ワークショップを行い、次にこの職員が組合員と一緒にワークショップを行い、それから、職員と組合員が地域住民と一緒にワークショップをやる。このように、徐々に枠を広げていくことで仲間が増えていき、いくつかのチームに分かれて、コープこうべのある地域でいろいろな活動をやり始めたのです。

コープこうべが神戸というエリアで事業を行っている以上、地域の方々とともに地域の未来をよりよくしていく活動をしなくてはいけないと、職員、組合員、地域住民の3者がチームをつくって活動しています。

コープさっぽろが、学生たちのために講演会を開催したり、組合員の方々に対して研修事業を行っているのも、地域とともに運営していこうとする姿勢にもとづいた活動なのだと思います。

生活協同組合は、株主に利益さえあれば地域に利益を還元しなくてもいいと考える企業体とは、まったく性質が異なります。コープは地域の生活をよりよいものにしていく目的で生まれた組織です。民間企業でも、30年前ぐらいからＣＳＲ（企業の社会的責任）の重要性が言われ、10年前ぐらいからＣＳＶ（共有価値の創造）が言われるようになり、今はＳＤＧｓを掲げながら、持続可能な経営を目指すようになりました。

民間企業でもコミュニティデザインという手法を使って地域と仲よくして、地域に応援してもらいながら、自分たちの事業をやっていく。あるいは、地域の人々の意見を聞きながら、事業のあり方を変えていく。こうした、ＣＳＶに近づけていく考え方が徐々に広がってきています。

高度経済成長期には、「私は30年この仕事を続けてきたんだ。地域の方々がほしがっているモノ、サービスが何なのかはわかっている。余計なことを言わないでくれ。いい商品、いいサービスを提供するから買ってくれればいいんだ」という態度でよかったのかもしれませんが、今はそれではモノは売れないし、サービスも提供し尽くせないでしょう。

市場が縮小して、地域の住民が高齢化してお金を使わなくなったとき、専門家やコンサルタントが一方的に考えた商品やサービスを提供するだけでは、売上は頭打ちになる。地域の意見をきちんと聞いて、それを事業に活かしていくことこそが、経営にとっては大切だということです。建築家も同様です。「私は建築の専門家なので皆さんが求めている空間はわかっている。建築のプロフェッショナルなのだから、全部任せてください。いい設計をします」という態度では、よい空間ができないことがわかりました。

生活協同組合は、地域の人たちの意見から生まれた企業体であり、地域の意見を聞かない株主のための経営にはなりえない仕組みになっています。こういう仕組みが今、あらためて注目されています。人口が減少し市場が縮小している時代だからこそ「縮充」が大切です。市場が小さくなっているけれども、われわれの人生は充実する、そんな社会をつくっていくために、生活協同組合の仕組みに学ぶことはたくさんあります。

そして、もし興味があればコミュニティデザインという考え方・手法を思い出してください。たとえ人口が減っても、地域の方々の意見を聞きながら暮らしを充実させていくような地域をつくっていっていただければうれしく思います。

第7章

講義のポイント

1 コミュニティデザインは「人口が減っていく中で人々が充実していく」状況をつくる。

2 地域に必要なものは新しい公共施設ではなく、市民の活動を通して生まれる人と人とのつながり。

3 公共施設をつくるときには、利用者の意見を聞き、施設の中で地域の人々が活動してくれるように設計する。

4 民間企業も地域の人々に応援してもらいながら事業を行っていく時代になった。

5 地域の人たちの意見から生まれ、地域に貢献する生活協同組合の仕組みがあらためて注目されている。

第8章

湖池屋ブランディングと北海道ブランディング

株式会社 湖池屋 代表取締役社長

佐藤 章

1959年東京都生まれ。82年に早稲田大学法学部を卒業後、キリンビール㈱に入社。97年にキリンビバレッジ㈱商品企画部に出向。2008年にキリンビールに戻り、九州統括本部長などを経て、14年にキリンビバレッジ代表取締役社長に就任。16年に㈱フレンテ（現㈱湖池屋）執行役員兼日清食品ホールディングス㈱執行役員に転じ、同年9月に湖池屋代表取締役社長、21年に日清食品ホールディングス常務執行役員（現任）。

大きなトレンドを見て〝ゼロ〟からイチを生む

私はキリンビバレッジに勤めていた時代に飲料の開発に携わり、2016年湖池屋に転身しました。飲み物から食べ物に移ったわけですが、飲料メーカーから見ると主役は食べ物ですから、いつかは食の仕事に携わりたいと思っていました。当時、湖池屋は業績が悪化しており、私はその立て直しを進める過程でさまざまな商品のブランディングを行いました。

ブランディングとは、会社や商品のブランドを確立するために行うマーケティング活動です。はじめに、キリンビバレッジ時代に私が行ったブランディングについてお話ししましょう。

お茶系飲料に伊藤園の「お〜いお茶」しかなかった時代、ニュースタンダードの緑茶をコンセプトにした「生茶（なまちゃ）」を開発しました。2000年のことです。そのとき考えたのは「10年先に幅広いお客様に求められる飲料は何か」でした。当時、コーヒー、紅茶、炭酸、果汁、スポーツドリンクなど、さまざまな飲料がありましたが、若者たちは「無糖」を求め始めていました。「それなら最後はお茶が勝つだろう」と考えたのです。ブランドは、このようにメガトレンドを予想しながらつくります。

「生茶」という商品名は、生の葉に含まれるテアニンというアミノ酸をお茶に加えると、さらに旨味が増すことからネーミングしました。ただ、商品をそのまま売り出したのでは、消費者には差別化した点が見えません。そこで、若者に大人気の松嶋菜々子さんをCMに起用して20代の女性に向けてコミュニケーションを発信すると、すぐに反応がありました。さらに、お茶は年配者も飲みますからもう1本CMを流します。年配の人なら誰でも知っている日本で一番かっこいい人、高倉健さんに出演していただきました。

このように、若者と年配者それぞれに向けたコミュニケーションによって、広い世代にアピールする戦略を組み立てたところ、1年間で2350万ケースという大ヒット商品になりました。2000年に打ち立てたこの記録はいまだに破られていないと思います。

その「生茶」の前年のことですが、1999年に「FIRE」という缶コーヒーを発売しました。当時、市場には「ジョージア」「BOSS」など強力なライバルたちがいました。それら競合に打ち勝つために、商品の顔となる缶のデザインを工夫します。エンボス加工によって、炎のマークの凹凸をつけたのです。豆は直火焙煎コーヒーを使用。当時の缶コーヒーは熱風焙煎で、火が直接当たっておらず、香りが弱いという弱点があったので、直火で豆を焙って香り立つような表現を行いました。そして「生茶」と同様、普通に宣伝しても目立ちません。どうブランディングしていくかを考えました。

まずイメージビデオをつくります。当時、ケビン・コスナー主演のインディアン（ネイティブ・アメリカン）の生活を描いた『ダンス・ウィズ・ウルブズ』という映画が世界的に大ヒットしていました。この映画から着想を得て、現代人が忘れかけていた、インディアンのように純粋に人生を送ろうというメッセージを込めました。このビデオを缶コーヒーのターゲットになる人たちに見てもらって、「こういうコーヒー、飲んでみたいですか？」「ＢＯＳＳより飲みたい？」「ジョージアより飲みたい？」などと聞いたのですが、「今一つ迫力に欠ける」「センスはいいけど、ちょっとね」という反応でした。

社長からは「ダメ、ダメ。私ら年配は全然飲みたくない」と言われたので、「ＦＩＲＥ」の対抗馬として「麒麟珈琲」という商品名で絵コンテをつくりました。「ＦＩＲＥ」と「麒麟珈琲」を比較すると「ＦＩＲＥ」の評判がよかったので、社長に許諾をもらいに行くと、「わかった。君がどうしてもＦＩＲＥのほうが売れると言うのだったらいいだろう。でもイメージビデオは地味だ。これを考え直してくれたまえ。インディアンは日本人には馴染みが薄い」と条件をつけられたのです。困った私は、自分が一番好きなアーティストに出てもらおう、それしかないと考えました。それがスティーヴィー・ワンダーです。私は彼の歌を聴くと心が震え、前向きになれるのです。

人の心を惹きつける商品かどうか

早速、スティーヴィー・ワンダーに広告出演の依頼をかけますが見事に断られます。あきらめずに手紙を書きました。

「今、日本はバブルがはじけて、みんな元気をなくしています。スティーヴィーさん、日本人のために応援ソングをつくってください」と作曲のお願いをしたところ、「それなら私にもチャレンジできるだろう」と言ってくださり、後に「ほら、できたぞ！」とつくってきてくれたのです。一度断られても、自分が本当にやりたいことがあれば何度でも食い下がる。すると何とかなる。ハプニングが起きる。それを実感しました。

このCMが、競合が並み居る中、世のコーヒーユーザーの心に刺さりました。このブランディングの真のヒーローはスティーヴィーだったのだろうと思います。

このようにブランディングは、強烈にお客さんの心に火をつけなくてはなりません。「大好き！」「熱狂的にその商品のファンになるよ！」と言ってもらえるほど徹底しなければブランディングはできません。商品が人の心を惹きつけるかどうか、そこが最大のポイントです。マーケティングは、魅力的なプロダクト（商品）をつくり出すことができれば、すべてうまくいくスタートラインに立てます。逆に、商品が優れていなければ、いくらプロモーションをかけても、いくらリサーチをかけてもうまくいきません。

もう1つ、社会貢献という点から商品を紹介しましょう。2006年、福岡市の海の中道大橋で、飲酒運転のクルマが家族5人の乗ったクルマに猛スピードで追突。追突されたクルマは海に転落し、子ども3人が亡くなるという痛ましい事故が起こりました。当時キリンビールにいた私はそれをニュースで知って、飲酒運転をなくしたいと本気で思い、それが「キリンフリー」の発売につながりました。世界初のアルコール分0・00％のビールテイスト飲料です。

「いいものをつくったね、社会貢献だね」と言われ、ドライバーだけでなく、妊婦の方々からもたくさんお礼の手紙が届きました。「妊娠中はすごくストレスがたまるのですが、アルコールが飲めません。キリンフリーがあると助かる」とも言われました。世の中のためになるという要素も、商品開発の大事なテーマになってきています。

こういう仕事をしてきた私が湖池屋に移り、いよいよ食べ物の世界に入りました。

日本で初めてポテトチップスの量産化に成功した会社

湖池屋は、1962年に「ポテトチップスのり塩」を発売し、1967年に日本で初めてポテトチップスの量産化に成功した会社です。しかし、その後ライバル会社が追いかけてきて、「100円でポテトチップスは買えますが、ポテトチップスで100円は買えません」というCMを打ち、150円で売っていたポテトチップスが100円で売られ、あっという間にシェアを奪われてしまいました。

1984年、湖池屋は「カラムーチョ」を発売。アサヒビールの「スーパードライ」よりも前で、辛口ブームの火付け役と言われています。このときは、ポテトチップスの価格競争を正面攻撃でやらないという意味で辛いポテトスナックをつくりました。「ポテトが辛くてなぜおいしい！」というキャッチフレーズで大ヒットしましたが、その一方でポテトチップスの主役の座を奪われてしまい、以降さまざまな新商品を出すものの、ポテトチップスでは苦戦を続けます。

私が入社した2016年当時、湖池屋の売上は横ばい、利益は赤字に転落。やっと持ち直しても利益率1％という業績で、「何とかしなきゃならん」といろいろ考えました。

一番いけないと思ったのは、社名を「フレンテ」に変更していたことでした。オーナーに「どうしても、もう一度湖池屋で勝負したい」とお願いしました。「湖池屋」という社名は認知があるからです。世の中に湖池屋を知っている人がたくさんいるのに、それを捨ててはいけない。ブランディングにおいて社会に認知があることは非常に大事なのです。「湖池屋」という社名に戻したあと、これからの時代を生き抜いていく戦略的な新商品をつくり企業戦を挑むことにしました。

すでにライバル社は企業規模を拡大していました。それに対抗するには、「湖池屋」という認知度の高い企業ブランドで戦うしかないと思ったのです。「カラムーチョ」や「スコーン」という個別商品のブランドで戦っていては勝てない。そこで企業ブランドで戦うことにしたのです。

企業ロゴも刷新しました。現在の湖池屋のロゴは六角形の中に「湖」の文字を描いたものです。六角形はおめでたい亀甲マークです。さらに、当時、電話帳で調べると「湖」から始まる会社名はありません。したがって、丸に湖と書けば湖池屋を表現できる。独自性があるということです。名刺、封筒、紙袋などに亀甲マークの新しいロゴを入れ、白と黒と赤でデザインしました。日本を象徴する色使いにしたのです。

さらに、私が重視したのは戦略ストーリーです。創業者が最初にポテトチップスをつくってからずっと貫いている理念を守ること。そして、北海道で生産されたじゃがいもを使うなど、品質へのこだわりです。

| 図表1 |
新しい企業のロゴ

湖池屋のポテトチップスの特徴は、イモの皮をあまり剥かないこと。身と皮の間に旨味が詰まっているからです。ここをなるべく残して揚げます。創業者は「じゃがいもは身と皮の間に旨味がある。これを活かすかどうかだ」という言葉を残しています。私の代になってもこうした創業者の思いを守らなくてはいけない、そう考えました。

じつは日本人でスナックが嫌いな人はほとんどいません。97%が「好き」と言います。ご飯を食べるのが好きではないと言う人はもっといます。それほどスナックには魔力があるのです。そこで、徹底的によいものにこだわってプレミアムな商品を生み出し、それが社会の役に立ち、人々の笑顔につながるようにする。こうしたコンセプトを具体化し、やり続けることにしました。

組織を改革する5つの要素

私は湖池屋の組織改革にとりかかりました。必要な要素は5つです。

1つ目は、「業界の魅力と競争構造を知る」こと。そうしなければ作戦が立てられません。競争の構造を知ったら、どのポジションで戦うのかという「戦略のポジショニングをつくる」、これが2つ目。3つ目は、そのための「組織能力を上げる」。会社は人が命です。4つ目は、どうすれば勝てるのかという「戦略ストーリーをつくる」。これらを全員で共有します。社長だけがわかっていればよいのではなく、全員に浸透されていなければ、ブランディングはできません。最後に、これが一番難しいのですが、「クリティカルコアをつくる」こと。クリティカルコアとは独自性と一貫性の源泉となる要素で、戦略ストーリーの中で核となる打ち手です。

さて、湖池屋が戦う市場を見ると、菓子・スナック市場は２０００年以降ずっと伸びてきていいます。この20年余り微増ですが縮小していません。

菓子・スナック市場でもっとも売れるのはチョコレート、2位はポテトチップスを含むスナックです。そのスナックのシェアの約半分をライバル1社が占め、湖池屋のシェアは1割程度しかありませんでした。スナック市場をカテゴリー別に見ると、「じゃがりこ」などの成型もの、コーン系、野菜系などがありますが、ポテトチップスの売上が圧倒的です。日本人はポテトチップスが大好きなのです。

私が湖池屋に入社した当時、売上も利益もライバル社が圧倒的に上でした。とくに利益率に大きな差がついていました。さて、どうするか。

２００９年から私の入社した16年まで、ポテトチップスの平均売価は下がりっぱなし。売上と平均売価がどちらも同じように下降しています。通常は平均売価が下がれば売上が上がります。一般に企業では、安くしたほうが売れるため、利益を削ってでも売上を伸ばそうとします。2つが同じように下降しているのはおかしい。ここに着目しました。

さらに、日本人はポテトチップスを何種類でとらえているかを調べました。まず、通常のポテトチップス。それから、「じゃがりこ」「ジャガビー」「すっぱムーチョ」などの女性向け。「カラムーチョ」「堅あげポテト」など男性向け。もう1つは少し贅沢なゾーン。ポテトチップスをこの4種類で認識していることがわかりました。この中のどこで戦うか。

私は、少し贅沢なプレミアムゾーンを狙うべきだと考えました。明日の湖池屋の未来をかけるような、付加価値の高いものをつくれば売れるのではないか。ここが未開発のゾーンだと決めました。

もう1ついえば、スナックにはポテトチップス以外にもいろいろな商品があります。「とんがりコーン」「ベビースターラーメン」「キャラメルコーン」「かっぱえびせん」「スコーン」「ポリンキー」「ドリトス」など数多くあります。しかし、分析を行ってみると、日本人はポテトチップスと「それ以外」ととらえているのです。ですから、ポテトチップス以外でいろいろと仕掛けてもほかに紛れてしまう。ポテトチップスのプレミアムゾーンで勝負に出ることを決めました。

イノベーションブランドをつくる

ブランディングにおいて重要な要素の1つに「ユーザーの実態」があります。

ユーザーはどのようにポテトチップスに接していくのでしょうか。カスタマーヒストリーを見ると、デビューは幼稚園の頃です。家にあったポテトチップスを食べてデビューします。そして小学校のときに「○○が食べたい」と言ってお母さんに買ってもらう。中高生になると部活が忙しくなってしばらく食べなくなります。太るからという理由もあります。大学生になるとパーティーなどで食べたり、バイトをしたお金で買うようになります。こうして大人になって、健康面に気を配りながら自分で選んで買うようになる。それから、親になって子どもに買い与える。ポテトチップスのカスタマーヒストリーにはこういう長い歴史があります。

私はポテトチップスのユーザーについて調べたときに愕然としたことがあります。湖池屋とライバル社のユーザーの違いです。湖池屋のユーザーは圧倒的に単身が多く、しかもシニア、女性、若年層。ライバル社のポテトチップスを買うのは3〜4人構成の一般家庭でした。

年収は、湖池屋ユーザーは高収入と低収入に二極化していて、ライバル社ユーザーは平均的です。趣味は、湖池屋ユーザーはアニメ、ゲーム、本、ギャンブルなどで、ライバルはレジャー、雑貨。アルコールは、湖池屋ユーザーは飲む人飲まない人に二極化、ライバル社は平均的。SNSは、湖池屋はX（旧ツイッター）、インスタグラム、ライバル社はライン、フェイスブック。買い物は、湖池屋はコンビニ、ドラッグストアで、ライバル社はスーパーマーケット……。

しだいにユーザー像が見えてきます。湖池屋にはオタクっぽいファンだけが残って、あとはみんなライバル社に行ったのです。つまり、湖池屋には熱狂的なファンが多いということなのだから、徹底的にそのファンの期待に応えなくてはいけない、平均的なことはやってはいけない、私はそう考えました。

整理すると、ライバル社はスナックをジャンクな食べ物と位置づけ、子どもや学生におやつとして食べてもらい、価格をずっと下げて売ってきた。では、われわれはその真逆を行こう。大人や女性に食べていただく。体に悪くないもので食事の代わりにもなる商品を売る。そうした付加価値型で、本格感のある商品をつくる。これが湖池屋が勝つための要件です。

これまで湖池屋のポジションはフォロワーでした。ライバル社の真似をしていたのです。これからはチャレンジャーになろうと考えました。ライバルの真似はしない。価格で戦わない。オリジナリティのあるもので差別化する。この姿勢に一本化する。そうしてやっと戦うスタートラインに立てます。

では、日本人がスナックに求めているものは何か。調べてみると、一番は「食べきれる量」です。次は「国産原料」。湖池屋が使っているじゃがいもは国産で、7~8割が北海道産です。ライバルは違う。であれば、それを自信を持って大々的に謳(うた)えばいい。

そのほか、消費者は「塩分が少ない」「手が汚れない」「一口で満足度が高い」「持ち運びに便利」「健康にいいもの」などを求めていますが、私が目をつけたのは「国産」です。日本人は国産のものを求める。少し高くてもいい。その気持ちに応えようと考えました。

加えて、最近わかってきたことがあります。日本人の食生活は1日3食以上に増えているのです。私の調べによると1日6食が一番多い。1日の総カロリー量を抑えながら、ちょこちょこ食べる。1食の半分ぐらいのカロリー量を1日6回食べる。そういう現代人にフィットするスナックをつくったらいいのではないかと考えました。スナックの役目を見直して、イノベーションブランドをつくろうと考えたのです。

ここから新生・湖池屋がスタートします。日本の老舗として品質を自覚し、安売り市場に二度と参入しない。付加価値経営をしようと決めました。

創業者の理念に新商品のヒントがあった

私は湖池屋品質を定義してみようと考えました。

創業者はこんな言葉を残しています。「じゃがいもを揚げる時は広がるように。揚がった時にポテトチップスが立つと油切れがよい」。そして、「日本人になじみのある味にするために、隠し味に一味（いちみ）を効かせる」。「湖池屋ポテトチップスのり塩」には、必ず一味唐辛子が入っています。後切れがいいと言われる理由です。創業者はこんな言葉も残しています。「ポテトチップスを作ることは料理そのものであり、昔から天ぷらが高温でサッと揚げる方がカラッとすることに習った」。湖池屋ポテトチップスは天ぷらを真似たのだということにも気づきました。

湖池屋品質を再定義しました。

①味な湖池屋へ、②日本を取りに行く、③現代品質を創る、の3つです。

こうして、2017年に湖池屋のこだわりをすべて注ぎ込んだ新商品「湖池屋プライドポテト」を発売しました。見え方が大事なので、パッケージを100案つくって絞り込みました。デビュー広告では「日本産じゃがいも100％」「おいしい」と訴えたところ、若い人たちが飛びついてくれ、あっという間に品切れを起こしてしまいました。

翌18年には、「ピュアポテト」という北海道でのみ販売していた商品を、水色のパッケージにして全国展開。今や年間40億～50億円の売上に迫ろうとしています。厚切りのホクホク感がいいと言われ、圧倒的に女性に人気があります。「北海道」が生んだ商品が全国のユーザーの心をつかんだのです。19年には「ＳＴＲＯＮＧ」を出して大ヒット。とにかく濃い商品です。

こうして次から次へと、「プライド」「厚い」「濃い」などの付加価値を各ブランドに乗せて、湖池屋の新しいイメージをつくり、それを湖池屋ブランディングとして続けています。

既存品もリニューアルしていきました。「カラムーチョ」「すっぱムーチョ」などのパッケージを現代化。それから、「Ｔｈｅのり塩」「Ｔｈｅ海老」という高級感のある紙を使ったパッケージの商品を発売しました。そして23年、いよいよレギュラーのポテトチップスを60周年を機にフルリニューアルしたところ、売上が急増しました。ＣＭソングはＭＩＳＩＡさんが書き下ろしてくれた「愛をありがとう」という曲です。「イモがうまい」などと訴えず、ＭＩＳＩＡさんの耳に心地いい曲に乗せて「今日も湖池屋を食べてください」というイメージ戦略を展開しました。新しいユーザーも入ってきて今絶好調です。

こうして湖池屋は、２０１７年から毎年、すべての商品が1割以上伸びています。

北海道から新たな食の価値を発信する

北海道ブランディングについてお話ししましょう。

北海道の現状を見ると、人口、医療、教育、物流、観光、安全、行政など、いろいろな分野に課題があります。人口の減少と人手不足、医師の偏在と医療従事者不足、児童生徒数の減少、公共交通確保の困難、オーバーツーリズム……。こうした課題の解決にはそれぞれの分野で取り組んでおり、DX、RPA（ロボットによる業務自動化）、チャットGPTなどが役立つ部分もあります。しかし、それぞれが弱みを克服しても仕方がないだろうと、私は考えています。

北海道にはナンバーワンがたくさんあります。生産量では、とうもろこし、にんじん、たまねぎ、小麦、馬鈴薯、生乳など。水揚げ量では、カレイ、スケトウダラ、サケ、ニシン、カニ、昆布など。それによって「食料自給率」「食の魅力度」は日本一です。温泉地、観光などもナンバーワンです。こうした1位はつくろうとしてもできません。食をはじめとしたナンバーワンは紛れもない事実であり財産なのです。ここにすべての力を注いではどうでしょうか。

北海道の強みが「食」であることは北海道庁もわかっています。食を通じて「世界の北海道」にしようと言います。実際、食料品の輸出額は２００８年から3倍になっています。しかし、食の重要性をより強く認識してもらえるような具体的な商品や取り組みをどんどん打ち出していくべきではないでしょうか。

健康への関心が高まっている今、栄養学や科学の進歩を活用すればさまざまな対応ができるでしょう。いつか世界的な食糧危機が来るかもしれません。そのとき北海道のできることは何か。食の宝庫である北海道から、新たな食の価値を発信すれば、人類は豊かになります。

湖池屋と北海道の関係を言えば、湖池屋は富良野に工場があり、ここで年間約50億円を売り上げる商品を生産しています。北海道発祥の「ピュアポテト」は40億円以上を売り上げています。コープさっぽろ様とは、GARAKU様とコラボしたポテトチップスをつくらせてもらっています。湖池屋も北海道にお世話になっています。

2022年の11月から23年1月にかけて、東京国立博物館で「150年後の国宝展」が開催されましたが、会場で売上ナンバーワン、あっという間に売り切れたのは湖池屋の「国宝展のり塩」でした。テレビでも「超絶にうまいのり塩」と紹介されました。その原料が北海道産の今金男しゃくです。日本中の人が「国宝級のうまさ」として評価くださったと思っています。

私がつくった北海道ブランディングに向けたキャッチコピーは「北海道サン」です。メジャーリーグで大活躍する「オオタニサン」にあやかってつけました。「北海道」という言葉がみんなの口の端にのぼるように仕掛けていくのが大事ではないかと考えたのです。食で圧倒的にリードするブランディングが一番いいと思います。

ブランディングコンセプトは、「加工で付加価値を上げる北海道の食」です。テロワール（生産地の自然環境）や製造方法、加工技術によって付加価値を上げます。超冷凍製法で鮮度を失わせないなど、今日ではさまざまな加工技術が進化してきています。北海道に来て生のまま食べてもらうことで「北海道産」のうまさを世界中の人に知ってもらい、自宅で加工したものを食べてもらう。いろいろなシーンを創造することができます。

ターゲットは、Z世代、女性、アクティブシニアです。それぞれ特徴が違います。Z世代は、コスパ、推し活ギフト、スナック。女性は、食、ヘルシー、旅行。シニアはプレミアムおつまみ、グルメ、ヘルシー、酒、旅行です。これらのターゲットに向けて魅力的なコンテンツをつくり、「北海道サン」を世界へ発信していくのです。

｜図表2｜
加工で付加価値を上げる北海道の食

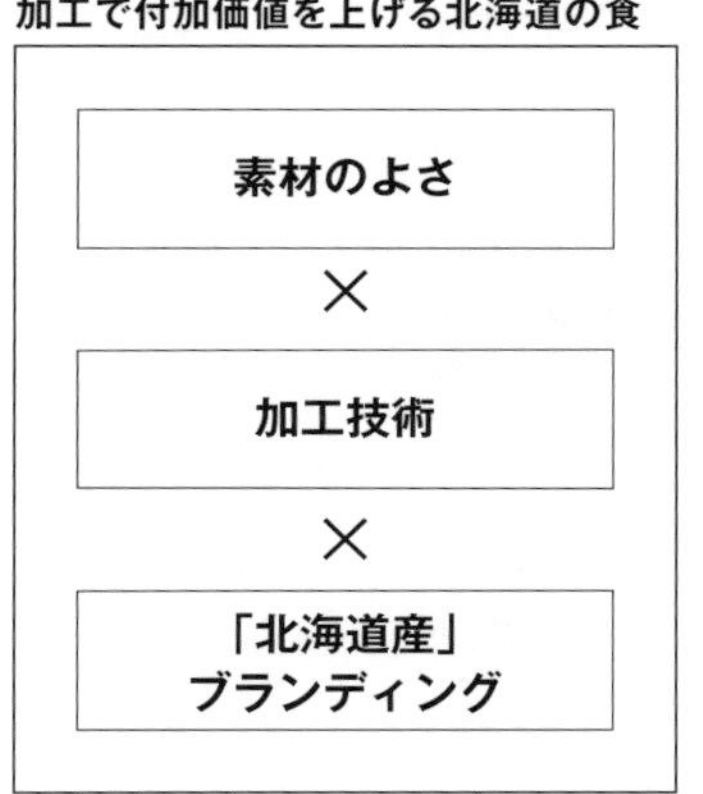

第8章

講義のポイント

1 ブランディングとは、会社や商品のブランドを確立するために行うマーケティング活動。

2 ブランディングは、強烈にお客さんの心に火をつけなくてはならない。

3 世の中のためになるという要素も、商品開発の大事なテーマ。

4 自社商品のユーザー像をつかみ、徹底的にそのファンの期待に応える商品開発を行う。

5 北海道のブランディングにおいては、加工によって「北海道の食」の付加価値を上げ、世界へ発信してはどうか。

第9章

ヤマガタデザイン

YAMAGATA DESIGN 株式会社 代表取締役社長

山中大介

1985年東京都生まれ。慶應義塾大学SFC（環境情報学部）卒業後、2008年に三井不動産㈱入社。商業施設の開発・運営を担当したのち、14年、山形県鶴岡市にヤマガタデザイン㈱を設立。YAMAGATA DESIGN AGRI㈱、有機米デザイン㈱、YAMAGATA DESIGN RESORT㈱の代表取締役も務める。22年に、ニッポン新事業創出大賞、地域イノベーション大賞特別賞、日本サービス大賞地方創生大臣賞を受賞。

いかに地方の課題を解決するか

われわれの会社ヤマガタデザインは、「地方の希望であれ」というビジョンを掲げています。山形庄内の地で地方を活性化させるビジネスをつくっていくことで、その取り組みのスタンス、プロセス、結果が、あらゆる地方の希望になればと思いながら、事業を展開しています。

取り組んでいるのは地方の課題の解決です。

基本的に地方の課題は日本全国ほぼ同じで、突き詰めると、日本という国自体が人口減少と少子高齢化の局面にあることに行き着きます。世界の人口は増えており、先進国の中で人口がこれだけ減っているのは日本だけです。ドイツやイタリアが若干減少の傾向にあり、50年後には中国が、100年後にはアフリカが減少に向かうと言われていますが、今、世界の先進国の中で、これだけの人口減少と少子高齢化に直面しているのは日本だけです。これが何を意味するかといえば、誰も答えを知らないということです。

人口減少と少子高齢化は国全体の問題ですが、とくに地方で拍車をかけているのが、若年層の流出と経済の縮小です。若い世代がいなくなれば当然経済は縮小します。その結果起こっているのは、地方行政への依存の限界です。

かつて行政は圧倒的なパワーを持っていました。人口が増え、経済成長していたからです。行政のパワーとはお金（財源）です。財源は人口と経済の大きさに比例しているので、両方とも衰退している地方において、行政のパワーたる財源が縮小し硬直化しています。そのため、住民は「搾取（さくしゅ）」されています。

行政を動かすのは1人1票という選挙制度で、高齢化した社会ではマジョリティは高齢者です。高齢者が多くの票を持っているので、限られたお金がマジョリティである高齢者向けの施策に対して優先的に使われ、若者のようなマイノリティは、税の再分配の仕組み上、搾取されているのが現状です。そうした中で、地方でどんな町をつくっていかなくてはいけないか——。行政機能への依存には限界がきています。そのときに重要になるのが、民間主導の取り組みです。

これは決して地元行政の機能は必要ないという話ではありません。言うまでもなく行政は大切な機能で、たとえば、社会的な弱者を救済する、インフラを整えるなどの観点においては地域の行政や政治家の役割はとても重要なのですが、カバーしきれない領域がこれからすごく増えていきます。そこを補完するのが民間のサブシステムであるべきだというのが私たちの会社の基本的な考え方です。

「陸の孤島」で会社を起こす

私はヤマガタデザインを２０１４年に山形県鶴岡市に設立しました。

鶴岡市が位置するのは、山形県の海側平野部と月山と鳥海山に囲まれた陸の孤島のような場所で、もともと庄内藩があった名残で山形庄内と言われています。２市３町から成る人口25万人ほどの地域です。新幹線も高速道路も通っておらず、１日４便だけ東京とつなぐフライトがインフラの要で、庄内を目的地にしないかぎり、ついでに来るような場所ではありません。

山形県は激しく人口が減っています。日本の人口は毎年０・４％ほど減少していますが、山形県は年間１％ぐらい減っています。普通に考えれば、マーケット的にまったくアゲインストな場所ですが、その地域を逆張りの発想で盛り上げていき、経済を活性化させようとチャレンジしているのが私たちです。

じつは私はまったくの部外者です。東京で生まれて三井不動産で働いていました。三井不動産は北海道では三井アウトレットパークで知られています。私も商業施設の開発を担当していたのですが、すでに日本国内において大型ショッピングセンターは飽和状態。地元に正規雇用を生まないショッピングセンターをつくるより、自分の力で社会に役立つことをしたいと考え退社して、たまたま人のご縁で山形県に転がり込み、ヤマガタデザインという会社をつくることになりました。

ヤマガタデザインはグループ全体で社員120名ほどです。正社員の平均年齢は40歳で、UIターン率が8割。資本金は9500万円ですが、グループ全体で38億円を調達していて、23年度はさらに10億円くらい調達する予定です。地元の企業、全国の企業、ハイブリッドでお金を集めてきています。山形庄内というマーケット的にアゲインストな場所から事業を起こしていき、それによって地方の希望をつくろうとしている会社です。

22年はニッポン新事業創出大賞に選ばれました。そんな評価もいただいています。

田んぼのホテルに6万人がやって来た

われわれの会社は、「観光」「教育」「人材」「農業」という4つのカテゴリーと7つの事業に取り組んでいます。この4つがまちづくりの大事な要素です。観光・教育・人材・農業は、地域にとって課題である一方で大きな可能性です。

スイデンテラス（SHONAI HOTEL SUIDEN TERRASSE）

われわれの事業で、今一番知られているのがホテルでしょう。「観光」カテゴリーの1つの事業です。

田んぼの上にホテルを建てました。スイデンテラス（SHONAI HOTEL SUIDEN TERRASSE）という名前です。建築家の坂茂（ばんしげる）さんと一緒につくった日本最大級の木造ホテルで、年間6万人くらいのお客さんが来ています。

ホテルをつくっているときには「相当頭がおかしい」と地元の人たちから言われました。田んぼの上にホテルをつくって一体誰が来るのかと。結果として今、年間6万人が来ています。8月には単月1億2000万円を売り上げて、みんなびっくりしました。

これは「地域あるある」の1つですが、庄内の人たちは水田など見飽きています。美しいけれど日常です。しかし、庄内の日常はほかの地域の人たちにとっては非日常なのです。そのギャップを突くことによって関係人口・交流人口をつくることができると私は考えました。

スイデンテラスは農業をコンセプトにしたホテルです。温泉も掘り、東北一のサウナもつくりました。サウナーの東北の聖地になっています。

しかし、ホテル業を展開していこうと考えているわけではありません。地域の魅力、とくに四季の農業風景をプロデュースしていきます。スイデンテラスに年間6万人やって来るお客さんが近隣地域に出かけることも大事にしています。スイデンテラスは基本的に1泊1食（朝食）ですから、お客さんの多くが市内の飲食店へ食事に出かけます。

ホテル経営でもっとも大切なことは、リピーターをつくること。すごくバズって、インスタ映えして、新規のお客さんたちがたくさん来ても、どこかで息切れしますし、コスト効率が悪いのです。スイデンテラスでコアファンをつくるよりも、宿泊客に庄内という地域に触れてもらったほうがよほどリピート率が高くなると考えているので、山形庄内にどんどん出ていってもらいます。

教育の機会平等を実現するために

ヤマガタデザインのカテゴリーの2つ目は「教育」です。私たちは20年後、教育の会社になりたいと真剣に考えており、僕自身は人生最後のキャリアは教育に携わりたいと思っています。教育は大事です。スティーブ・ジョブズやイーロン・マスクなどが出現しなくても、1人当たりの生産性を上げることによって、人口が減少する地域を守っていける確率が高くなります。そのために必要なものが教育です。

日本の教育の状況を数字で表現すると36／37です。これは日本が教育に対してどれだけ公的支出をしているかを表しています。経済先進国（OECD加盟国）37カ国のうち36番目という意味です。日本は、公が教育、子育てに対してほとんど投資をしていない国なのです。

岸田政権がこども家庭庁をつくり、「子育てが大切だ」と言ってお金を創出していますが、これは世界的には当たり前のことです。日本は公がお金を出さないから、各家庭が教育費を負担しています。この構造が「貧困の連鎖」を生んでいます。親や地域の経済格差が子どもの教育機会格差にダイレクトに響き、その子どもが大人になったときの経済格差につながっていく。これが日本で実際に起こっていることです。

今、日本の子どもの9人に1人が、世帯年収254万円未満（4人世帯の場合）の貧困家庭で育ちます。こうした環境において教育の機会平等をいかに実現するか。当然、行政の仕事ですが、われわれ民間もどう取り組んでいけるか、それを真剣に考えています。

教育に関してよく知られたデータがあります。小学校を卒業した時点の12歳を対象にしたアンケートでは、日本の子どもたちは世界各国の中でもっとも自己肯定感が低く、18歳の時点で、「自分で国や社会を変えられると思うか?」という質問に対してイエスと答える子どもは18・3%しかいません。日本では、18歳の8割以上が「自分が将来どれだけ頑張ろうが社会は変えられない」と思っている、ある種絶望的な国なのです。でも社会は変えられます。われわれは、そうした点も含めて、教育の内容やあり方も変えていかなくてはいけないと思っています。

江戸時代の思想家、荻生徂徠（おぎゅうそらい）が唱えた「徂徠学」というものがあります。中国で孔子の思想から生まれた儒教・儒学を日本版に書き換えたのが徂徠です。教育と政治は近接していて、そのときの政治に都合のよい教育がされますが、それに対して徂徠は異を唱えました。

中国で、子どもより親が偉い、市民より国王が偉いという封建社会のマネジメントに重きを置いて儒教が意訳されていた時代に、徂徠は「いや違う。人間には長所と短所があって、人間は長

KIDS DOME SORAI

所を伸ばして槍のようになれ」と唱えました。全国民が槍になって突き刺し合えと言ったのです。破天荒な人で、徳川幕府から「あいつはおかしい」と、徂徠学は禁止されました。

しかし、禁止された徂徠学を教えていた藩が3つありました。長州藩（山口県）、彦根藩（滋賀県）、そして東北の庄内藩でした。その庄内で、われわれは「人間はとにかく長所だけ伸ばして槍になれ」の教えが今こそ大事だと考え、スクール事業をやっています。

その1つが、小学生をおもな対象とした児童館での教育です。「KIDS DOME SORAI（キッズドームソライ）」という施設をつくりました。

「勉強したくなる子ども」をつくる教育

今まで日本の教育は勉強ができる子をつくってきましたが、これから変わります。チャットＧＰＴをはじめ生成ＡＩが急速に普及します。今、英語教育が盛んですが、生成ＡＩの機能にハードウェアが整うと同時通訳ができるようになります。しかも世界多言語です。そうしたとき、今までの教育にあまり意味がなくなります。勉強しても将来役に立たないのですから。

これからの時代に求められる教育は、「勉強したくなる子をつくる教育」です。究極のモチベーション教育です。社会では学び続ける者が勝ちます。学歴ではありません。自分で目標設定し、自分の好きなことを磨き、自分で自分を奮い立たせるモチベーションをコントロールできる能力が大切になってきます。

ＳＯＲＡＩでは学童保育も行っていて１２０人程度の児童を預かっています。学童保育は日中に保護者が家庭にいない小学生に対して、適切な遊びや生活の場を与える制度ですが、その場所が不足しています。子どもの数が減っているのになぜ学童保育の場が足りないのか。祖父母と同居する家族が減り、女性の社会進出が当たり前になった今、平日の放課後に家に大人がいない家庭が爆増しているからです。ライフスタイルの変化によって日中に一人で過ごす子がものすごく増えています。そこで、ＳＯＲＡＩで学童保育を行うことにしました。

学童保育は厚労省管轄の社会福祉保育の事業で、もともとは日本が戦後最貧国だったときに、貧困家庭の子どもを守るためにつくられた制度でした。家庭の延長としての居場所を提供することを基本理念としていたので、教育を行ってはいけませんでした。そのため、子どもたちはそれぞれ、ユーチューブを見たり学校の宿題をやったりしていました。

時間で考えると、学童に通う子どもたちは、学校にいる時間よりも学童で過ごす時間のほうが長いのです。夏休みや春休みなどの長期休暇を入れると、学校にいる時間は年間約１２００時間（小学生低学年）で、学童で過ごす時間は約１６００時間です。この時間、教育をしてはいけないというのが学童のルールだったのですが、２０２０年にようやく変わりました。そこで私たちは、学童をどこよりも面白い場所にしようと取り組んでいます。

ＳＯＲＡＩではフリースクールも始めました。現在、不登校児が増えていますが、コロナ禍でさらに増えました。コロナ禍で休校になっている間に「学校なんか行かなくていいんだ」と思う子が増えたのです。今、小学生は約２％、中学生では約６％が不登校になるというほどひどい状況です。親が共働きの子どもは平日の日中に居場所がありませんから、ＳＯＲＡＩをフリースクールとして開放しています。

Ｕターン潜在層を対象にしたリクルート事業

次に「人材」に関する事業についてお話ししましょう。

ヤマガタデザインは、地域企業に向けて「地方を超えろ」というメッセージを発しています。地方では若者が減って経済が縮小しているので、地方企業は、地域を超えて全国、あるいは世界を目指さないかぎり成長が難しいです。停滞しているといずれ消滅します。

地方を超えるために必要なものは人材です。そこでわれわれは、地方企業が必要な人材を獲得するためのプラットフォームをつくりました。「チイキズカン」と「チイキズカンＰａｒｔｎｅｒ」という2つのサービスで、人材採用をサポートします。将来的には新卒でもいきなり年収１０００万円以上で地元企業が経営人材を採用するケースも組み込む予定です。これからは、新卒であっても、大学時代にさまざまなキャリアを積んでいる人が経営人材として応募できる、そして必要とされる世界になっていきます。

「チイキズカンPartner」は、すでに日本全国にトヤマズカン、ヒロシマズカン、イシカワズカンなど「〇〇ズカン」が広がっていて、地元企業が地域の企業のために人材会社を設立しています。ヤマガタデザインは、フランチャイザー（フランチャイズ元）でありながら、自分たちでも「ショウナイズカン」というサイトを運営しています。

「ショウナイズカン」を通じて行っているのが、「仕事のやり甲斐と生活の充実を両立させたい」と考えている全国のUターン潜在層を対象にした事業です。これには3つの特徴があります。

1つ目が、「若い世代の新たな価値観を求める未来志向の企業の掲載」です。地方の企業にも優良企業はたくさんありますが、うまく発信できていない。そこでショウナイズカンは、地方を超えるために人材を採用しようとしている会社を応援しています。

2つ目が「企業と求職者のコミュニケーション最大化」。なぜ優良企業なのに採用ができないのかといえば、人材採用担当を置く余裕がないためです。そこで、どのように自社をブランディングしたらいいのか、あるいは、どうやって都市部の若者とコミュニケーションをとればいいのか、それらをわれわれのサービスが補完します。

3つ目は「移住後の山形庄内の暮らしを発信する」。地方の出身者が都会に出て就職し結婚して家族をつくり、その後地元に戻ろうと考えたときに困るのは、パートナーに「あなたはいいけど、私の暮らしはどうなの?」と言われること。それが地方にUターンするときの最大の課題となっています。地域の暮らしに適応できるかどうかがとても大事です。そのサポートも行います。ショウナイズカンでは現在、山形庄内の約100社に対して、1300人くらいが求職活動している状況を実現しています。

「チイキズカン」は2023年の10月に、地方特化、挑戦する企業・仕事、年収1000万円以上相当の仕事、複業可の経営人材というテーマで新しいサイトをローンチしました。NEWS PICKSというメディアとのジョイントベンチャーで、企業の経営人材を採用する目的で活動しています。

拡大する有機農業の市場

4つ目は「農業」というカテゴリーです。ヤマガタデザインでは農業生産とロボット開発を行い、さらに最近は肥料など資材開発も進めています。

現在、日本の農業人口は年平均で5%減少していっており、基幹的農業従事者（農業を主な仕事としている人）は116万人。そのうち70%が65歳以上です。

「70％が65歳以上」「年平均5％減少」がどんな数字かというと、もし明日70歳以上の農家が全員ぎっくり腰になって引退せざるを得なくなったとき、69歳以下の農家が担当しなくてはならない農地面積は、平地部の田では1人70ヘクタール（東京ドーム約15個分）になります。早晩、1人が70ヘクタールの水田を耕作しなくてはいけない時代が来ます。これは今のテクノロジーや経営形態では対応できません。1人当たりの営農面積を拡大するための進化が求められます。

今後、農業界で確実に起こるのは個人農家の消滅です。企業農業、チーム農業、組織農業を行わないかぎり、日本は農地を維持・保全できません。

私たちは山形庄内という場所から、日本の農業をどうやって持続可能にするかを考えました。それは、儲かる環境をつくれるかどうかに尽きます。儲かる農業にするための手段はいくつもありますが、われわれが注力しているのはグリーン市場です。

ビジネスを行うときに何がもっとも大事かといえば当然利益です。どうすれば利益は上がるのか。売上を因数分解すると数量掛ける単価です。利益率に直結する数字は単価です。単価を上げることによって売値が2・7倍、利益が3倍以上になるというのがざっくりした構造ですが、有機農業は世界で年平均10％伸びていて、30年後の市場は巨大になります。

これから有機農業の市場が拡大する理由は2つあります。1つは経済先進国の比率が高まること。必需品としての農産物の市場から嗜好品としての農産物の市場に切り替わっていくので、有機のマーケットが大きくなることが見込まれます。

もう1つ、30年後に爆発的なゲームチェンジが起きます。先進国すべての小中学校の義務教育の中にＳＤＧｓ教育が入ったためです。小学校に通う私の娘が、学校から課題図書を持って帰ってきました。「プラスチックによってウミガメちゃんが泣いている」という内容でした。娘は本当にプラスチックがウミガメちゃんを泣かせていると思い込んでいます。これは誤解を恐れずに言うと完全なＳＤＧｓ宗教教育です。いずれＳＤＧｓ教の人たちが未来の市場をつくっていくようになります。その環境意識によって市場は大きく変わります。そこに対して日本は準備をしていくべきなのですが、残念ながら有機農業は全耕地面積の0・6％ぐらいしかできていない。ヨーロッパの平均が7％ほどなので、そこを目指そうと思っています。

もう1つ知っておいたほうがいいのが、農水省の食料安全保障は実際にはすでに成立困難だという事実です。

化学肥料の3大栄養素は窒素・リン酸・カリですが、日本はその99％を海外から買っています。つまり、日本が貿易、外交がないことを前提に農業を語るなら、日本は有機的な栽培をしなくてはいけない国なのです。海外から化学肥料を輸入して、縮小する国内マーケットに売りなさいと言っているのが今の日本の食料安全保障の考え方です。

そもそも日本の農業は世界とのつながりなくして語れないわけで、世界から資材を買うだけでなく、世界に向けて売っていくべきです。世界中で有機農産物の需要がどんどん高まっていくので、そうした考え方で取り組むべきと思っています。

われわれのヤマガタデザインは、今ハウス50棟ほどで農業に取り組んでいます。地域の農家さんたちへの生産委託で行っていますが、自社でも有機農業でベビーリーフ、おかひじき、ミニトマトをつくって、SHONAI ROOTS（ショーナイルーツ）というブランドで販売しています。市や行政とともに有機農業に取り組み、2022年には「週刊ダイヤモンド」の「儲かる農業特集」で1位に選ばれました。

農業の生産だけでなく資材開発も行い、さらに、田んぼの中を自動で泳ぎ回って抑草するロボットを開発しています。お掃除ロボットのように、オートパイロットシステムで田んぼの中を勝手に泳ぎ回って泥を濁らせることによって、雑草の種の沈下を防いで雑草が生えづらい環境をつくります。日本全国の34都府県で実験をしていて、12年間の開発期間を経て、遂に23年500台を売り出して即完売しました。

このロボットは、田んぼの雑草を抑制するだけではなく、お米の収量を上げ、ジャンボタニシを抑制して、田んぼのメタンを半減する効果が出ています。メタン発生源としては牛のゲップがよく知られますが、国内の最大要素は水田なのです。そのメタン発生を抑える効果が期待されるということで、農業界で大きく注目されています。

「地方の希望であれ」のビジョンのもとで

このように、われわれの会社はさまざまなことに取り組んでいて、一言で何の会社か伝えるのは難しいですが、コンセプトは明確です。「山形庄内という場所をモデルに、地域課題を解決する事業を創出し、希望ある社会を実現する」のがヤマガタデザインです。

これからの社会は、人間性や環境性のバランスを取りながら成長していかねばなりません。これは理想論でも綺麗ごとでもなく純粋に、そうならなければ社会はつまらないと思っています。

ヤマガタデザインは２０２４年に設立10周年を迎え、会社名をＳＨＯＮＡＩに変えます。私たちの会社は次の10年のステージで日本全国で活躍することになるでしょう。事業が全国に広がる中、自分たちのアイデンティティーをより明確にするという天邪鬼的な発想で、あえてＳＨＯＮＡＩという社名に変えます。

最後に、われわれの会社のモチベーションについて語ります。

当社のモチベーションは「社会をよくしたい」ということです。「社会をよくするのは、誰よりも自分たちでありたい」。そして「自分たちがつくる未来に、自分たちがワクワクしたい」というのが、私たちのワガママな姿勢です。そのために今やらなくてはならないことがたくさんあります。

私たちはさまざまなことを変えていかなくてはいけない時代に生きています。その根本は「お金についての考え方」です。お金はいっぱいあったほうがいいし、たくさん稼いだほうがいいと私は考えています。なぜなら、お金とは価値との交換手段だからです。価値を交換できる権利を持ち、価値を交換することは尊い行為なので、お金は大切です。

一方で、「これからの時代は、お金は目的にならない」というジレンマがあります。それには2つ理由があって、1つは、今の20代が、がむしゃらにお金を儲けて六本木ヒルズの最上階に住んでみたいなどというモチベーションが少ない世代であること。「達観世代」と呼ばれているとおりです。たとえば吉野家の牛丼は400〜500円で食べられるが、その100倍のお金を出したからといって、吉野家の牛丼の100倍の幸せを得られるわけではない。「足るを知る」という考え方が、若い世代の価値観ではないでしょうか。

もう1つは、産業革命から現代まで、お金儲けを目的化したビジネス活動がダイレクトに社会を豊かにしてきました。飛行機や鉄道、クルマをつくることが全部お金儲けになったし、イコールで社会を豊かにしてきた。しかしこれから先は、お金儲けだけを考えて投資すべき領域は、人工知能やVR、SNSなどの世界です。では、それが極まったときに人間が豊かになるか。私はそうは思いません。

ビジネスとしてテクノロジーの進化を求めた結果が、人間のリアルな幸せ感とズレ始める。このジレンマと戦っていくのがこれから先の50~100年の資本主義だと思います。

お金は大切で必要だけれども目的ではないとしたとき、お金は手段となります。そもそも論として、この資本主義というゲームの仕組みを活用して、私たち自身がどういう社会に生きたいのかを考えることのほうが大事だし、そこから逆算して、あらゆる産業構造や社会システムが再構築されてしかるべきだと真剣に思っています。

ヤマガタデザインは「地方の希望であれ」というビジョンを掲げて、山形庄内で、どういう世界に生きたいのかを真剣に議論しながら、それを実現するために資本主義のありとあらゆる仕組みを使って、もっともリスクをとって、もっともスケーラブルに、もっともスピード感を持ってチャレンジを続ける。そんな会社でありたいと考えています。

第9章

講義のポイント

1 ヤマガタデザインは「地方の希望であれ」のビジョンのもと、地方を活性化させるビジネスをつくっている。

2 「観光」「教育」「人材」「農業」は地方の課題である一方、町づくりにおいて大きな可能性を持っている。

3 これからの社会では学び続ける者が勝つ。教育事業を通じて、子どもが自ら目標を設定し、モチベーションをコントロールできる能力を育てる。

4 地方企業は全国や世界を目指さないかぎり成長できない。「地方を超える」ために必要な人材採用のためのプラットフォームづくりを進める。

5 日本の農業人口が減り続ける中、有機農業への取り組みや資材開発によって、持続可能で儲かる農業を目指す。

第10章

科学技術と食文化
～北海道から社会変革～

公立はこだて未来大学 教授

美馬のゆり

東京都生まれ。ハーバード大学大学院、東京大学大学院、電気通信大学大学院修了。学術博士。専門は学習科学（認知科学、教育工学、情報工学）、科学コミュニケーション。MITメディアラボ客員研究員、日本科学未来館副館長、NHK経営委員を経て、2021年よりカリフォルニア大学バークレー校AIラボ客員研究員。著書に『AIの時代を生きる』（岩波書店）、『学習設計マニュアル』（北大路書房）、『「未来の学び」をデザインする』（東京大学出版会）など。

日本の食卓を未来へつなぐ3つのキーワード

日本の食卓を未来へつなぐキーワードとして、3つの言葉から始めたいと思います。スローフード（Slow Food）、テロワール（Terroir）、フードウェイズ（Foodways）です。

「スローフード」はファストフード（Fast Food）に対して唱えられた考え方で、その土地の伝統的な食文化や食材を見直す運動、あるいはその食品をスローフードと呼びます。1989年にイタリアで提唱され、現在160カ国以上に広がりました。美食を問うことから始まり、その後、伝統の食事や素朴でしっかりとした食材にテーマが移り、最近では有機農業や健康によいものへ関心が向かっています。

「テロワール」は、「土地」を意味するフランス語から派生した言葉で、ワインやコーヒー、お茶などの品種における、生育地の地理、地勢、気候による特徴を指します。同じ地域で収穫された作物にはその土地特有の性格が与えられるのでテロワールといいます。日本語にすると、その作物の「生育環境」「産地特性」となりますが、私は、風土や環境だけではなく、土地の歴史や文化という視点も欠かせないと考えています。

「フードウェイズ」は、食文化と食文化を成立させている諸要素のことで、食にまつわるエコシステム、文化、社会、経済、慣習などを総合的にとらえた概念です。日本語では「食文化」となりますが、そこに経済的要素や社会的要素も含まれています。

私たちが日々食べている和食のフードウェイズがどのように成り立ってきたのかと考えると、隣接する地域の食文化に影響されつつ、日本列島の風土や1000年を超える歴史の中で多様に展開され形成されてきた「資産」であると思い至ります。

この和食資産が保有する価値を、時代や空間的な広がりを超えて、人類共通の資産・遺産として考えることはできないでしょうか。社会や環境が急速に変化していく中で、どうすれば、この日本の食文化を継承していくことができるのでしょうか。

ここで言っている和食は、プロの一流料理人がつくる和食ではなく、私たちが普段食べている料理です。海外に出ると、日本は特有だなと感じます。日本の食文化、食生活も時代とともに大きく変化してきたはずですが、それにしても日本特有のものがあります。

スローフード、テロワール、フードウェイズの3つをキーワードに、「科学技術と食文化」について考えていきたいと思います。

みんなで学び合う場をつくる

簡単に自己紹介をしておきましょう。

私は、大学時代にはコンピューターサイエンスを専攻しました。コンピューターと出会ったのは高校1年生のときです。数学好きだったので数学部に所属し、将来は数学者か数学教師になろうと思っていたのですが、高校のそばに大きなコンピューターメーカーの見学コースがあり、そこに行ってコンピューターを触って大変驚きました。「コンピューターは世界を変えるに違いない。コンピューターに関わる仕事がしたい」と強く思ったのです。

そして大学で学ぶことにしたわけですが、その後「教育」に出合いました。プログラマーのアルバイトをしていたとき、MIT（マサチューセッツ工科大学）で開発された教育用プログラミング言語のLOGOに出会ったのです。LOGOを日本のパソコンに移植する作業を行っていたとき、これは教育を変えるに違いないと思いました。そして、「教育側の人がコンピューターを学ぶより、コンピューター側の人が教育学を学ぶほうが近道だ」と考え、さらにその後、「教える」ことに使うのではなくて、「学ぶ」プロセスを支援するためにコンピューターを使いたいと思い、大学院に進みました。

このように、私の学術的な背景はコンピューターサイエンス、教育学、そして認知心理学へと移ってきました。その私がどうして今日、食の話をしているか。

今触れたように、中高で数学部に所属し、大学でコンピューターを専攻して一度外資系メーカーに入社したのちハーバード大学へ進学しました。その後東大で認知心理学を学んで、私立大学に就職したあと、客員研究員としてＳＲＩ（スタンフォード研究所）へ行く。それから、ＭＩＴに行って、２０２２年にＵＣバークレー（カリフォルニア大学バークレー校）に行きました。今は、公立はこだて未来大学で教えています。ちょっと物足りなくなると海外に行っているのですが、その途中で、東京・お台場にある日本科学未来館で副館長として３年間働き、ＮＨＫの経営委員を３年間務めました。

このように、さまざまな新しい分野に首を突っ込んで学んでみると、いろいろなことがテーマになります。その中には食に関わるものもありました。

日本科学未来館には設立の計画立案から関わり、２００９年に「〝おいしく、食べる〟の科学展」という企画展を実施しました。食に関する最先端の科学技術を紹介する展覧会です。味わいのメカニズム、食品の大量生産、保存技術、食の未来、食品廃棄の問題、健康・安全・食糧危機という切り口で展示をつくっていきました。

この未来館の3年の任期を終え、はこだて未来大学に戻ってきたとき、函館に科学館がないことに気づきました。多くの人に科学に興味を持ってほしいし、先端科学技術や科学に関するいろいろな問題を知ってほしいと思いました。

しかし、お金をかけて箱モノをつくっても、そのうち飽きられてしまいます。そこで、科学館をつくるのではなく、「はこだて国際科学祭」という9日間のお祭りを企画しました。一方的な知識の提供ではなく、みんなでイベントをつくりながら学びを共有していくという市民活動にしました。専門家が素人の人と対話することで、科学技術に関する新しい知識を向上させていく仕組みです。一般の人に興味を持ってもらうために、「環境」「食」「健康」の3つのテーマを毎年順繰りに回していくことにしました。

食をテーマに据えてみると、いろいろな可能性が見えてきます。科学技術、一次産業、流通、暮らし、飲食、情報、観光、教育など、食は、私たちが生きるためになくてはならないものだから、いろいろな可能性が見えてくるのです。

食を人を中心に考えてみると、生産する人、届ける人、加工する人、調理する人、楽しむ人、そしてサービスで支える人たちが関係しています。しかし、こうした食に関わる現場の人たち、あるいは企業が、知識やスキルを更新していくことは容易ではありません。また、経営、人材育成、研究開発、情報技術などの実務を改善していくことも簡単にはできません。料理屋や居酒屋の大将にも、漁師さんにもこういう視点は必要なのですが、なかなか学ぶ機会がないのです。

みんなで学び合う場をどのようにつくっていくか。対話して新たに知識を創り出していくという学習観、知識観がとても重要だと私は考えます。

「人生100年時代」とAI

「人生100年時代」と言われます。これまでは、高校を出て大学に進み、就職して定年まで勤めて、あとは地域活動を行うという単線的な流れでしたが、100年生きるとなれば50年は働かなくてはならないので、そのための知識やスキルの更新が必要になります。

仕事をしながら新たに大学で学ぶ、異なる専門分野に行き直す。働きながらオンラインで講義を受けたり、大学院に行ったりすることも考えられます。このように、単線から複線的に、さらに重層的に学ぶ道が出てくるでしょう。

今からちょうど10年前、オックスフォード大学の研究者が、500余りの職業に関して、デジタル化によって10年後どんな仕事がなくなるのかを詳細に分析しました。結果が発表されたときは日本でも話題になりましたが、10年前の10年後ですから、まさに今を予測していたわけです。

そこには、受付係、スポーツの審判、集金人、レジ係、銀行の融資担当者、メーターの計測者などが挙げられていましたが、実際にこうした職業のほとんどがなくなりつつあります。スポーツの審判にはセンサーが導入され、料金はネットで振り込む。皆さん、銀行窓口に去年1年間で何回行ったでしょうか。レジもセルフレジが増えてきています。メーターはスマートメーターに置き換わっています。

もちろん、一方で新たに生まれる職業があります。このような状況に適した知識やスキルを学んでいくことが重要になっています。若い人は、今は存在しない職業への準備が必要で、これから必要になる仕事は何かを考えながら生きていかねばなりません。こうした状況にあって、面倒くさいとか、不利だなと思っていたらもったいない話です。何が出てくるかわからないから面白いのです。

私は、2021年に『AIの時代を生きる』（岩波ジュニア新書）という本で、高校生向けにAIについて、その仕組みや学び方を書きました。現在、チャットGPT（生成AI）が毎日のようにニュースになっていますが、AIに関する問題も明らかになってきました。

生成ＡＩは、大量のデータから統計的に回答を出しますが、そのデータ設定に差別や偏見、誤った認識で収集したデータが入ったらどうなるでしょうか。あるいは、偏ったデータで学習したアルゴリズムであったらどうなるでしょうか。

たとえば、「国家のリーダーにふさわしいのは？」と聞くと、日本では今まで女性リーダーがいなかったので「男性」が選ばれるでしょう。そして介護や看護といえば「女性」。アメリカで「犯罪を犯しやすい人は誰か？」と聞くと、「貧困層の多い地域の出身の人」ということになり、特別にその人たちが監視されるようになる。これはおかしいですね。

実際に今、臓器を提供すべき人の優先順位をＡＩで決めるケースも出てきています。そのアルゴリズムは誰がつくったのでしょうか。その中に偏ったデータや、偏りのあるアルゴリズムが入っている可能性もあります。さらに問題は、たとえば、あなたが自分のキャリア診断をすると、「あなたのような人は過去に成功しているので、あなたは将来成功すると推測される」、あるいは「あなたのような人は過去に失敗しているので、あなたは将来失敗すると推測される」という結果が出てきたとします。「推測される」の根拠は何でしょうか。

私はそんな疑問を持ちながら、１年間ＵＣバークレーの人間互換人工知能センター（ＣＨＡＩ）で研究しました。ここは、ＡＩが人間にとって取り返しのつかない結果をもたらさず、有益に働くように導くことを目的に、世界トップのＡＩ研究者であるスチュアート・ラッセル博士がつくったセンターです。

そのアメリカ滞在で見えてきたものがありました。私は研究するだけでなく、書店や美術館、博物館などを訪れ、大学の運営や行政の運営なども見てきました。そこで共通して強烈に感じたのは、人々が目指そうとしている未来と意思でした。彼らからよく聞いた言葉は「Make a change！（変化を起こそう！）」と「Make a difference！（違いを生み出そう！）」。もう1つは、ＤＥＩという価値観でした。ＤＥＩとは、Diversity（多様性）、Equity（公平性）、Inclusion（包摂性）です。

「和食資産」の価値をいかに継承していくか

ＤＥＩ（多様性・公平性・包摂性）を私なりの言葉に置き換えると、「多様性」とは、与えられた環境の中に違いが存在すること、その状態。「公平性」は、制度やシステムにおける手続きやプロセスが公平公正で、すべての人に可能なかぎり同等の結果をもたらすことを保障すること。そして、「包摂性」とは、人々が組織やコミュニティに帰属する意識を持てるようにすることと。

多様性は状態、公平性は機会、包摂性は感情を表現しています。人はそれぞれみな異なっているという状態を認めつつ、すべての人に公平に機会が保障され、自分もそこに含まれていると思える——DEIは多様な環境が多様な視点をもたらします。

最近、このDEIにAを加えた「DEIA」があります。AとはAccessibility（アクセス可能性）です。施設やサービス、デザインを、障害者を含むすべての人々が使用できるようにすること。つまり、アクセス可能性とは、知覚して、理解して、使用可能にする実践です。これを可能にするのは情報システムとそのデザインですが、このような分野に多様な人たちが進出することによって社会変革を起こすことができます。私はこの考えに強く励まされました。

では、食におけるDEIAとはどういうことでしょうか？

世界的には、気候変動が起こり、経済格差、社会格差が拡大し、政治情勢の不安定化が進んでいます。一方日本では経済が衰退して人口減少と高齢化が進んでいる。こういう中で、食における多様性、公平性、包摂性、アクセス可能性を考えていくことには大きな意味があると思います。

日本の食卓を未来につなぐために考えてみたいのは、歴史性と地域性です。私たちが食べている和食のフードウェイズです。

和食は、日本で隣接地域の食文化に影響されつつ、列島の風土、あるいは１０００年を超える歴史の中で多様に展開され、形成されてきた「資産」です。これをどう継承し、どう活用していくか。そこにさらに批判的な視点を盛り込んでいく。つまり、食を取り巻く地球環境、あるいは社会課題に向き合う態度が必要です。

私たちが持っている和食の文化をいかに未来に継承していくのか。そのためには、過去の和食資産の形態、あるいは価値をもう1回見直してみなければなりません。そこから、次の世代にどのようにそのよさを抽出して継承していくか、そのための思想も必要ではないかと思います。

たとえば、海外に出るとわかることがあります。アメリカの食は悲惨です。いくらオーガニックと言っても、そもそも摂取し過ぎです。油、塩分も摂り過ぎ。私が38年前に初めてハーバードに行ったときに驚いたのは、オーガニックのお店で売られていたのが干ししいたけや海苔など、日本のものばかりだったことです。

あるとき、ちらし寿司をつくって友人たちにふるまったところ、みんなすごく驚きました。彼らは寿司といえば握り寿司しか知らなかったからです。その中にベジタリアンがいて、「ベジタリアンは主義のためにおいしくなくても我慢して食べるんだと思っていた」と言うのです。豆や果物だけの、味気ない料理というよりは素材そのままを食べていたのです。

考えてみると、ちらし寿司は海老を入れることもありますが、ほとんどが野菜です。そしておいしい。私にとっては日常的な食べ物なので、それがベジタリアン向けで、健康によいものだという意識はまったくありませんでした。日本人が普段食べているものはとても健康的なものだったのです。

そこで提案したいのが「スマート・フードウェイズ（Smart Foodways）」です。私の造語です。スローフードは、その土地の伝統的な食文化や食材を見直す運動や食品ですが、それを超える考え方がスマート・フードウェイズです。スマートという言葉には、賢いという意味と、デジタル技術の活用も含まれます。そこに生産・採取、加工、流通、購買、消費、廃棄・排泄までを含めた食循環を包括する概念です。

食に関する課題は多くあります。世界的に見れば飢餓によって亡くなる人たちが多く存在します。気候が大きく変動し、食料システムにもいろいろな問題が出てきています。そんな中で、デジタル技術を活用しながら豊かで持続可能な食文化を、いかに継続・継承していくことができるか。

それには、地球や社会、人にとってよりよい選択を可能にする多面的な理解をみんなで共有しなくてはならないし、普段の暮らしから意識を改革して、それを実行に移さなくてはなりません。そういう行動の変化を促すような「情報のエコシステム」を含めてスマート・フードウェイズと呼びたいのです。スローフードの思想を「スマート・フードウェイズ」として、一歩先へ進めることはできないかと夢想しています。

生成ＡＩの3つの社会的影響

私たちは今、大変な時代に生きています。歴史の転換期というより転換点、まさに「点」にいます。生成ＡＩが一気に出てきて世界の隅々まで行き渡り、大きくいろいろなものが変わっていきます。今、何を学ばなくてはならないのかさえわからない、未知の世界に入りつつあります。

私は２０２３年の1月、日本でまだチャットＧＰＴが話題になっていなかったときに、ワシントンＤＣで開かれたＡＩエデュケーションサミットに行ってきました。そこにはＡＩ革命に向けて、教育リーダーが１００名ほど全米から集まりました。政府、学会、非営利団体、シンクタンク、民間のコンサルティング会社、政府からは国防総省の人材育成担当の人が参加して、これからどう人を育てていくかという議論をしました。

話題は、子どもたちだけでなく大人もアップスキリング（upskilling）が必要だというものでした。「リスキリング」ではなく「アップスキリング」です。ＡＩの長所と短所を理解したうえで、ツールが使えるようになることを目的に話し合いました。

今、明らかになってきた生成ＡＩの社会的影響は大きく３つあります。

１つは、偽情報や誤った情報によって、特定の主義や思想に誘導する宣伝戦略が氾濫すること。そして、不正確なツールを過剰に信頼し、システムに依存して思考しなくなること。

２つ目は仕事への影響。仕事が生成ＡＩに置き換わっていき、それによって大企業にデータや権力が集中します。チャットＧＰＴやＢｉｎｇなどに入力したデータを吸い上げているシステムがあります。そのデータは、マイクロソフトやグーグルなどに蓄積されていき、彼らはそのデータをもとにビジネスを展開するため、さらにデータや富、権力が集中していきます。

３つ目は安全性の問題。個人情報がハッキングされたり、機密データが漏洩したりする可能性があります。さらに、文明が制御できなくなるという危険性も出てきています。

ＡＩの活用においては、ＡＩを理解している人がさまざまな議論をしていかなくてはならないし、私たち自身がＡＩリテラシーを向上させていかなくてはなりません。

データやＡＩのアルゴリズムに頼ることには危険性があります。ＡＩは、あくまでも人間が判断するときの補完ツールであって、そこにはシステムとしての透明性、フィードバックの仕組みが必要です。今、行政や企業の人たちが前のめりになって「日本の失われた30年をＡＩで取り戻す」などと言っていますが、じつはいろいろな問題があるわけです。そういうことが議論されないまま進んでいくことを、私は危惧しています。

このアルゴリズム、あるいはシステムによって悪影響を受けるのは誰でしょうか。最近、児童相談所が一時保護を見送って4歳の女の子が亡くなったことがニュースになりました。ＡＩの評価を参考にして、「保護する必要性が39％だったので後回しにした」とのことです。すでにそういう事態が発生しています。ＡＩを過剰に信頼しているのです。

そこに必要なのは、先ほどのＤＥＩＡの視点です。誰が、どんな判断をされ、被害に遭うのか、利益を求める一方で、不利益を被るのは誰かを考えなければなりません。

では、ＡＩリテラシーとは何か。まだきちんとした定義はありませんが、私は、「ＡＩの技術やアプリケーションをツールとして活用するための一連のスキルやコンピテンシー※」ととらえています。批判的に見ること、その背景と組み込まれた原理を理解することが大切です。専門家任せではいけませんが、詳しく理解する必要はありません。背景にある原理を理解することが重要です。

たとえば、それが設計されて実装にされているものに疑問を持つことです。アマゾンやユー

※高い成果につながる行動特性

チューブ、ティックトックを利用するときも、どうして自分に今これがリコメンドされているのか。この仕組みは何なのかと考えることが大切なのです。

いよいよＡＩの時代が身近に始まった

最後に、私が新たに始めたＡＩリテラシーの教材開発プロジェクト※を紹介します。

これは、アメリカのＡＩエデュケーション・プロジェクトと私の研究室との共同プロジェクトです。目的は教育格差、経済格差の解消、そして公正な社会の実現です。その方法は、ＡＩリテラシーをみんなに持ってもらうこと。そのために今、アメリカの高校生向けの教材をもとに日本の高校生・大学生・社会人を対象とした教材を開発しています。専門家ではない一般の人たちにこの教材を提供しようと考えています。

教材の中に、ＡＩの倫理問題や社会課題に焦点を当てた１８０の問題があります。その１つを紹介しましょう。「ブルン ブルン ブルルルル」というタイトルの、ライドシェアアプリに関するものです。

※https://aiedu.jp/

・競争力を維持するため、ライドシェアアプリは常に、乗車を希望する顧客の数と利用可能なドライバーの数のバランスを取っています。
・ライドシェアアプリは、頻繁にデータを収集していますが、何人のドライバーを配置すべきかを常に正確に把握するのはまだ困難です。

顧客やドライバーから収集した乗車情報を使って、この問題を解決するためにAIをどのように設計すればよいでしょうか？

位置情報を大量に収集することの悪影響はないか？　乗車回数が減ることでドライバーの仕事がなくならないか？　ドライバーが減ってアイドリングが減少することで環境に好影響を与えるか？　などを考えます。

こうした問題を4〜5人のグループで議論するとさまざまな意見、疑問が出てきます。180の問題を通してAIに関する知識を得て、AIリテラシーを身につけるための教材です。

先ほど言ったように、今は転換期ではなくて転換点です。AIとどう向き合い、どう使っていくのか。そのときに必要なのは利益だけではなくてエシックス、倫理です。AIの仕組みを正しく知ったうえで判断できる人になってほしいし、ＡＩリテラシーを身につけることで質の高い仕事ができるようになってほしいと考えています。

あらゆるところにＡＩが入ってきます。教育格差、経済格差を解消するために、良質な教材への公正なアクセスを実現したいので、この教材は無償で提供します。

それに加え、アップスキリングの機会を、子どもだけではなくて大人にも提供していきたいと考えています。そのため、教材を使う教育関係者や企業の人材育成担当者に向けてプログラムや研修を提供していきます。そして、その人たちをつないで、情報交換、あるいは共有していくネットワークを構築します。さらには、その教材を開発している人たち、学生が研究してつくったもの、大学の研究者がつくったものをマッチングして流通させていきたいのです。

食の話題から少し外れてしまいましたが、いよいよＡＩの時代が始まりました。科学技術、とくにＡＩを活用して、食文化を軸に北海道から社会変革を起こすことができると私は信じて活動しています。皆さんも一緒にLet's make a difference！　社会を変えていきましょう。

第 10 章

講義のポイント

1. 日本の食卓を未来へつなぐキーワードは、スローフード、テロワール、フードウェイズの3つ。日本の風土や歴史の中で形成されてきた和食は「資産」である。

2. 食に関わる現場の人や企業が知識やスキルを更新していくことが必要。学び合う場をつくり、対話から新たな知識を創り出していくという学習観、知識観が重要。

3. DEIA（多様性・公平性・包摂性・アクセス可能性）の価値観によって多様な環境が多様な視点をもたらし、社会変革を起こすことができる。食においてもDEIAを考えることに意味がある。

4. 「スマート・フードウェイズ」の概念により、デジタル技術を活用しながら豊かで持続可能な食文化を継続・継承していくための行動変容を促す。

5. AIの時代が身近に迫った今、みんながAIリテラシーを身につける必要がある。

第11章

フィンランドにおける協同組合の役割と重要性

Sグループフィンランド 最高メディア責任者、上級副社長
パイヴィ・アンティコスキ

フィンランド生まれ。ユヴァスキュラ大学大学院でジャーナリズムおよび社会学を専攻したのち、「MTVニュース」で副編集長を務める。北欧最大の新聞「ヘルシンギン・サノマット」のデジタルコンテンツ編集長を務めたのち、フィンランド首相府の政府広報局長を経て現職。

フィンランドはヨーロッパの中の日本

最初に、日本とフィンランドの関係について簡単にお話しします。その後、私が所属しているSグループの概要を説明し、続けてその戦略、価値観、ビジョン、それから「Tilipaiva（ティリパイヴァ）」という若者向けのマーケティング、持続可能性について述べます。

これらの話の中で、Sグループがフィンランド人の幸福のために行っているさまざまな事例を紹介します。ロビー活動、太陽光発電、風力発電、生物多様性のフットプリントなどです。最後に、Sグループがメインに取り扱っている食品についてお話しします。

簡単に自己紹介をすると、私はSグループの最高メディア責任者兼上級副社長を務めています。もともとジャーナリズム畑出身で、14年くらいMTVニュースで働き、それから北欧最大の新聞社「ヘルシンギン・サノマット」（ヘルシンキ新聞）に勤めました。その後、フィンランド政府の広報局長として、サンナ・マリンという女性首相のもとで働きました。

フィンランドと日本は、2019年に外交関係の樹立100周年を迎えました。フィンランドは、1978年に北欧の国として初めて日本と文化協定を締結し、その後、文化交流が非常に盛んになりました。83年にはフィンエアー（フィンランド航空）が東京・ヘルシンキ間の直行便を開始し、これによってフィンランドは、日本にもっとも近いヨーロッパの国になりました。両国の関係は、経済から貿易、文化、技術、環境まで幅広く、最近では防衛協力にまで広がっています。

「フィンランドはヨーロッパの中の日本だ」と言われることがあります。フィンランドと日本はどんな点が共通しているのでしょうか。

まずインパクトがあるフレーズとして、フィンランド語に「ＳＩＳＵ」という言葉があります。ＳＩＳＵとは「フィンランド魂」「ガッツ」という意味で、日本の「大和魂」に近い言葉なのです。日本では大和魂、フィンランドではＳＩＳＵが、国民の不屈さ、根性を表します。

それから、パーソナルスペースを大事にすること、他人を尊重して人を信頼できることが共通しています。日本と同じように、フィンランドでどこかに物を置き忘れても、すぐになくなることはめったにありません。

両国民ともフレンドリーですが、最初はとっつきにくい面があります。つねに何かしゃべって愛想よくしていなければならないということはありません。静かに時間をすごすことも好きです。そして、自然に感謝する気持ちを持っています。

ほかにもよい面での共通点として、生活の質が良好で、民主主義を大切にし、社会が安定しており、国民が長寿であることがあります。ややマイナスと思われるのは、出生率の低さ、移民の数が非常に少ないこと、それから、両国政府とも経済的に負債を抱えていること。そうした点も共通しています。

19の地域協同組合で構成された企業グループ

ここから、私が所属するSグループについてデータも含めてご説明します。

Sグループは、フィンランド国内に約2000の拠点を持つ、小売およびサービスを行う企業グループです。全体で4万1000人の従業員を抱えていますが、夏季雇用（サマージョブ）を1万7000人の若者に提供しています。夏の間は約6万人の従業員がいるということです。84の異なる国籍の人が働いています。

Sグループは、19の独立した地域協同組合とそれらが所有するSOK（フィンランド中央協同組合）で構成されています。この地域協同組合は、コープさっぽろのような組織に相当するかと思いますが、ネットワークは全国に広がっていて、地域に力を入れています。

事業としては、スーパーマーケットの営業のほか、デパートや専門店、ガソリンスタンドや燃料販売、旅行やホスピタリティー事業などを展開しています。この中には観光、旅行、ホテル、レストランなどが含まれ、ホームセンターなども営業しています。さらに、自動車ディーラーや農産物直売所を運営している地域協同組合もあります。隣国のエストニアでも、スーパーマーケットや旅行業などを展開しています。

Sグループの組合員の数は250万人を超えていて、フィンランドの人口の約半分です。この組合員にS-BANKを通じて銀行サービスを提供しています。

Sグループは、フィンランド人のほぼすべての生活分野を事業範囲としており、これは世界的に見ても非常にユニークな事業体ではないかと思います。フィンランドの人々は、私たちが提供するサービスを通じて移動したり、食事をしたり、宿泊したり、投資をしたり、自宅をリフォームしたりしています。私たちは、「ともにもっと暮らしやすい生活の場づくりをしましょう」というスローガンを掲げ、その使命のもとで働いています。

Sグループの財務データ（2022年度）も紹介しておきましょう。

小売の売上高は135億ユーロ（日本円で約2兆914億円）、前年比9・2%増です。営業利益は3億2500万ユーロ（約512億円）。そして、次が非常に重要で興味深い点かと思いますが、組合員へ4億8400万ユーロ(約762億円)を還元しています。これはあとで説明しますが、おもにSボーナスという特典として組合員へ金銭的に還元しているのです。

続いて、Sグループの経営戦略、価値観、ビジョンについてお話しします。

「あなたの1日1日を特別な味わいにする」

私たちの事業の目的は、組合員に競争力のあるサービスと特典を有益に提供することです。Sグループのビジョンは、「あなたの1日1日を特別な味わいにする」(直訳すると「あなた自身のテイストで日常をパーティーに」)というものです。その達成には、多大な労力が必要です。

そのため、私たちは、自分たちの主要な理念である「責任ある協力活動」を尊重しながら、つねに自分自身を見つめ直すことを大切にしています。新しいサービスを開発するときには、協同組合の重要な使命、つまり組合員の日常生活をより快適にすることを明確に念頭に置いておく必要があります。

協同組合の事業も利益を上げなくてはなりませんが、利益を最大化する必要はありません。収益は、会員特典やサービス、およびさまざまな開発に活用されます。

当社の主要な戦略目標には、収益性の向上と、顧客満足度の向上が含まれます。

将来の課題に対応するためには、強い競争力、高いコスト効率、有能で責任ある運営が求められます。コスト削減や業務効率の向上だけでは企業は発展しません。消費者の要求レベルはますます高まっており、新しいサービスや、サービスの新しい利用方法を提供していかねばなりません。そのためSグループは、革新的なデジタル化、顧客重視のサービスソリューションの開発に積極的に投資しています。

また、私たちは協同組合として、企業責任を達成するためにステークホルダー（利害関係者）と協力して目標を設定し、オープンな対話に取り組んでいます。

組合員に対して日常の利便性を提供するために、事業運営にあたっては変化する顧客ニーズに対応していかねばなりません。商品の購入やサービスの利用をオンラインで行う顧客が増える中、デジタルサービスが定着してきています。そこで、顧客が、価格、製品、在庫などの情報を、時間や場所に関係なく簡単に入手できるように、さまざまな電子サービスと広範な販売店ネットワークを連携させてサポートしています。

その1つが組合員に向けたSモバイルというモバイルサービスです。これによって日常生活をサポートします。

組合員は、Sモバイルを使って、購入の履歴を確かめたり、ボーナスの振り込みなど銀行口座を確認したり、あるいはホテルを予約したり、モバイル決済を行ったり、食料品をオンラインで購入して自宅に届けさせたりすることができます。

毎月10日にボーナスを支給

協同組合という事業形態では、金銭的な収益性だけではなく、社会的責任にも注意を払わなければなりません。

顧客でありオーナーでもある組合員にとってのメリットという点で、私たちはつねに最高の特典を提供したいと考えています。先に触れたように、2022年には、Sグループは組合員にボーナスとして4億8400万ユーロ（約762億円）の経済的利益を還元しました。

この利益還元は、「ティリパイヴァ」と関連します。ティリパイヴァとは、「ボーナス支給日」を意味し、Sグループが行っている若者向けの給料日マーケティングのことです。

私たちは、新しい組合員、とくに若いメンバーを募集するために、若い世代に斬新な方法で、組合（われわれのグループ）の特長などをアピールしており、35歳以下の若者向けに実施しているマーケティングがティリパイヴァです。２０２３年2月から始めた新しい施策で、今さまざまなことに取り組んでいる最中ですが、その1つとしてボーナスを毎月10日に現金で支払います。

毎月10日には、ティリパイヴァを強力にＰＲするために４０００人の組合員がグリーンの作業服を着て、「今日は皆さんにとって特典がある日です」と強力にアピールしています。このボーナスは宝くじに似ていますが、より大きな額がより多くの人に当たることをソーシャルメディアでも強力に発信しています。

Ｓグループの組合員は、ボーナスの特典を受け取れることに加えて、緑色のＳカードを持っていれば、カフェ、レストラン、ホテル、デパート、専門店などで割引を受けることができます。

組合員だけではなくすべての人にとってのメリットとしては、当社は純粋なフィンランドの企業グループなので、税金のほとんどを、フィンランドの国、あるいは地方公共団体に納めており、それらが地元地域に利益をもたらします。私たちの協同組合は、フィンランド最大の民間雇用主ともいえるのです。

持続可能性を追求する

次に、Sグループの中心的なテーマであるサステナビリティー（持続可能性）についてお話ししましょう。

先ほど、「ともにもっと暮らしやすい生活の場づくりをしましょう」というスローガンを紹介しましたが、私たちは持続可能性を追求するリーダーでありたいと考えています。

当社の持続可能性のプログラムには3つの重点分野があります。

1つ目は、消費の新しいスタイルや状態に向けて一緒に少しずつ進むこと。

それに関連して、顧客が健康的かつ持続可能な選択をすることを奨励します。2030年末までに、当社が販売する食品は、65％以上が植物ベースとなり、80％がフィンランド国内で生産されたものになります。現在、フィンランド国内で販売される食品に国内産が占める割合は65％ですが、それを80％に上げていきたいのです。

さらに、カーボンニュートラルな交通手段を推進したいと考えています。

2つ目は、持続可能な成長に向けて天然資源を大切にすること。

私たちは事業活動において自然や気候に配慮し、さまざまな生態の維持や種の保存に努めています。２０２５年には、事業活動によって排出する炭素よりも多くの炭素を大気中から除去することを目標としています。

３つ目の柱は、不平等をなくし、平等な社会に向かうこと。

私たちにとって、すべての人は等しく重要であり、歓迎されるべきものです。私たちは、自社およびパートナー企業の従業員が、フィンランド国内および世界中で公平に扱われるように配慮します。商品の製造過程で搾取されている人はいないか、人権問題を追跡するために、商品に製造場所と主成分の原産国を表示しています。

積極的にロビー活動を行う

具体的な活動事例を紹介しましょう。

「フィンランドの幸福のために」ということで、当社は投資によって国全体の経済的な健全性の維持に努めています。２０２２年には計約17億ユーロ（２６４０億円強）の税金をフィンランドの州および地方自治体へ納付しました。そして、毎年７００万ユーロ（約11億円）を持続可能なさまざまな共同活動に拠出しました。拠出金の半分以上がスポーツ、とくに子どものスポーツの振興に充てられます。

たとえば、有名選手によるサッカーの指導、フィンランドでも人気のあるスケートボードの大会など、各種イベントを、毎年、全国各地約１００カ所で開催しています。

また、私たちの活動は国民の日常生活に深く関わり、事業は社会にさまざまなかたちで影響を与えていますから、責任ある企業として、政府や行政の意思決定に必要な情報の提供にも努めています。

私たちのステークホルダーには、メディア、各種団体、納入業者、意思決定者などさまざまな団体がありますが、Ｓグループの活動は国民生活全般に深く関わっているため、とくにメディアは私たちの活動に強い興味を示しています。そのようなメディアに、業務に関する最新情報を積極的に提供し、あらゆる質問に率直に答えます。

今回札幌を訪れ、コープさっぽろが良品計画（無印良品を展開）という会社と強い関係を持っていることを知りましたが、Ｓグループも団体や会社と協力関係を持っています。大規模事業者ですから、さまざまな種類や規模のサプライヤーと取引を行っていますが、私たちはすべてのサプライヤーを平等に扱い、倫理原則を遵守したいと考えています。

私たちは、倫理原則にしたがって責任を持って誠実に業務を遂行する一方で、パートナーにも同様のことを期待します。ちなみに、ＳＯＫ（フィンランド中央協同組合）と地域協同組合は、適正な取引慣行に従う事業者としてＥＵ（欧州連合）に登録されています。

行政との関係では、社会的な議論にオープンかつ積極的に参加するよう努めています。たとえば、現行のフィンランドの法律では、私どもの店舗では薬の販売が許可されていないので、それをもっとオープンな形で広く薬が販売できるように、ロビー活動を行っています。営業時間を長くすること、より広い地域で販売することを訴えています。私たちの店舗で薬が扱えるようになれば、小さい町でも薬を手に入れられるようになるので、そうしたキャンペーンの一環としてロビー活動を行っているのです。

ロビー活動を行うのは、基本的には顧客と組合員のためです。スーパーマーケットで薬が販売できるようになれば、小さな自治体に住んでいても薬が買えるようになるだけでなく、競争の自由化によって、消費者はより手頃な価格で医薬品を購入でき、ひいては国民経済にも節約をもたらすことが考えられるからです。

私たちは、ヘルシンキの目抜き通りに店舗を構えてキャンペーンの拠点にしました。フィンランドでは、薬は許可制で販売許可を得るのが難しいのですが、このキャンペーンが注目されたため、販売を独占している薬局、薬剤販売関係者が気分を悪くしたようです。

消費電力すべてを再生エネルギーでまかなう

持続可能性に関して、私たちが取り組んでいる事業を紹介します。

じつは、Sグループはフィンランド最大の太陽光発電業者です。グループ内で消費するすべての電力について「再生可能電力由来保証」を取得しています。

つまり、私たちが消費するすべての電力は、再生可能エネルギーで発電されているのです。

今、Sグループの200カ所以上の拠点の屋根には合計10万枚を超えるソーラーパネルが設置されています。

また私たちは、フィンランドで3番目に大きな風力発電事業者でもあります。

所有するフィンランド最大の風力発電所は、ボスニア湾に面した南西ラップランドのシモという小さな自治体のサルビスオという地域にあります。サルビスオ地域に設置した27基の風力タービンによって、Sグループの再生可能電力の発電量が大幅に増加しました。

現在、西フィンランドに13基の風力タービンからなる2つ目の風力発電所を建設中です。これが完成すれば、Sグループは1テラワットの電力を再生可能エネルギーで発電できるようになります。

次に「生物多様性フットプリント」について述べます。

多くの方には聞き慣れない言葉かもしれませんが、生物多様性フットプリントとは、天然資源を使いながら行う人間の生産活動が、地球上の生物多様性に与える影響を数値化したものです。フィンランドの科学者が、企業の生物多様性フットプリントを評価する方法を開発しました。

生物多様性の損失を食い止めるためには、企業は生物多様性フットプリントを最小限に抑える必要があります。しかしこれまで、生物多様性フットプリントを評価するツールが不足していました。

そこで、フィンランドで、ユヴァスキュラ大学、Sグループ、シトラ（シンクタンク兼投資ファンド）の共同プロジェクト「フィンランドイノベーション基金」が、企業活動の今後の方向性を示す画期的な手法を開発しました。これは、国際的に見ても画期的なプロジェクトだと思います。

健康的な食事への意識が賢明な消費行動につながる

最後に、私たちSグループが取り扱っている食品についてお話をしましょう。

私たちは顧客に、健康的で持続可能な選択をすることを奨励しています。それは、健康的な食事を意識することによって賢明な消費行動が可能になるからです。食べ物を選ぶ際には、何が手に入るのか、どれだけ簡単に調理できるのか、そして、その費用も重要です。

先ほど触れましたが、私たちは、２０３０年末までに販売する食品の65％を植物ベースにするという目標を掲げています。すでにその目標にかなり近づいていて、21年には、植物由来の食品が売上の59％を占めました。一方で、できるだけ近い将来に、国内産の食品の割合を80％に高めるという目標に向かって努力しているところです。

このたびコープさっぽろを視察させていただいて、私どもと同じような考え方だと強く感じましたが、できるだけ旬のもの、季節の野菜、果物、ベリー類などを食料品店の店頭に並べたいと考えています。また、その季節のもっとも新鮮で、もっともおいしい魚の提供にも力を入れています。

私たちの系列のレストランでは、魚や野菜を中心としたメニューが増えています。プライベートブランド品を開発する際には、塩分、糖分、脂肪の量を考慮して、できるだけ健康的な食品づくりを目指しています。またSグループでは、魚や野菜を中心としたレシピ集を定期的に雑誌に掲載しています。

さらに、Sモバイルのサービスによって、二酸化炭素の排出量を計算したり、買い物のうち国内製品がどのぐらいを占めるかを計算したり、栄養計算などが簡便にできるアプリを提供しています。これによって、気候への影響、国内産商品の割合、買い物かごの中の健全性などに関する情報を提供し、さらに持続可能で、より健康的な食品を提供したいと思っています。

国内産食品の割合を高めたい理由は3つあります。

1つ目は、国内産の食材を多く扱うことによって、地方の農家をサポートするため。2つ目は、外国産よりも国内産のほうが安心・安全な食材という考えが国民に強いため。3つ目に、外国から食料を輸入するよりも、近くの産地から品物を店舗に運ぶほうが、配送料、その他のさまざまな面でコスト削減が考えられるため。おもにこの3つが国内産食品の割合を高めたい理由です。

ただし、国内産食品だけにこだわっているわけではなく、食材の国際化にも配慮しています。たとえば、私たちのグループにＰＲＩＳＭＡ（プリスマ）というスーパーマーケットチェーンがありますが、その全店に「いつでもずし」という寿司店がインストアの形で入っています。それほどフィンランド人はお寿司が好きなのですが、これを一例として、国際的な観点からも食品の提供を考えています。

最後になりますが、このたび、コープさっぽろの施設をいくつか見学させていただきましたので、その感想を述べておきましょう。

リサイクル施設、子ども向けのさまざまな取り組み、それから食用油のリサイクルなどを見学させていただきました。日本には天ぷらが好きな人が多いので、油が出る割合がフィンランドより多いのでしょう。このような施設では、非常に素晴らしい運営がなされ、組合員満足度を高める施策が実行されていることに感心しました。

そんな中、フィンランドでは普通に行われていることで、北海道、日本でも行うとよいのではないかを思えることが2つありました。私は日本の事情を正確には知らないので、少し的外れかもしれませんが。

1つは、施設を見学させていただいたときに多くのソーラーパネルを見ましたが、もっと積極的に太陽光発電、風力発電の導入を検討されてはどうだろうか、ということです。フィンランドでは再生エネルギーの活用が非常に進んでいますので。

もう1つは、リサイクルセンターで、古紙を機械で圧縮する様子を見学しましたが、そこで気づいたのが、チラシの回収量が非常に多いことでした。Sグループでは、紙媒体の広告の量を意識的に減らしています。ラジオやSNSを使って広告を行い、紙を使った広告の量を減らす努力をしています。これに取り組まれてはどうだろうと感じました。

今回の視察でもっとも強く感じたことは、コープさっぽろが、本当に組合員の近くに寄り添って、細かく気を配った活動を行っていることでした。Sグループは巨大な組織であるため、組合員への対応が大雑把になりがちです。その点をコープさっぽろに学ばなくてはなりません。

第11章

講義のポイント

1 Sグループはフィンランド国民のほぼすべての生活分野を事業範囲とする、世界的にユニークな協同組合。

2 組合員だけでなくすべての人にとってのメリットとして、税金のほとんどをフィンランドの国、地方公共団体に納め、地元地域に利益をもたらしている。

3 持続可能性を中心テーマとし、「消費の新しいスタイルに少しずつ進むこと」「天然資源を大切にすること」「平等な社会の実現」を目指す。

4 「フィンランド人の幸福」のため、ロビー活動から太陽光発電、風力発電、生物多様性維持への取り組みまでさまざまな活動を行っている。

5 顧客に健康的な食品を提供するために、2030年までに販売する食品の65%を植物由来にし、国産食品の割合を80%に高めることを目指す。

特別講座〈対談〉

コープさっぽろの人材とDX推進

早稲田大学大学院 経営管理研究科（早稲田大学ビジネススクール）教授

入山章栄

慶應義塾大学大学院経済学研究科修士課程修了。㈱三菱総合研究所を経て、2008年に米ピッツバーグ大学経営大学院より博士号を取得。同年米ニューヨーク州立大学バッファロー校ビジネススクール助教授。13年早稲田大学ビジネススクール准教授、19年4月から現職。著書に『世界標準の経営理論』（ダイヤモンド社）など。

生活協同組合 コープさっぽろ 理事長

大見英明

1958年愛知県生まれ。82年北海道大学教育学部卒業後、コープさっぽろ入協。98年リニューアル本部長、2002年常勤理事を経て、07年に理事長に就任。存続危機から経営改善を遂げ、同生協を全国第2位の規模に発展させた。日本生活協同組合連合会常任理事。

「複線雇用」で優秀な人材を発掘する

入山　僕は経営学者として、コープさっぽろを含めた生活協同組合はじつにユニークな組織だと感じています。これまでは株式会社中心主義でしたが、それに対して、社会貢献をしながらきちんと企業として収益を上げる。社会性と収益性をまさにサステナブルに両立できる、一つの世界的な希望が生協だと思っています。じつは「ハーバード・ビジネス・レビュー」という世界一権威のあるビジネス誌から寄稿を依頼され、コープさっぽろを中心に、生協の仕組みの素晴らしさを紹介させていただきました。これこそ21世紀型のモデルではないかという話です。

今日は少し具体的に、コープさっぽろでどんな取り組みをされているのか教えていただけますか。人材面ではいかがでしょうか？

大見　コープさっぽろは１９９８年に経営破綻し、そこから10年間いっさい新卒採用ができませんでした。そのため今は40歳手前の中堅幹部しかいないという悲しい構造があります。じつは98年のリストラで、２５００人いた正規職員が2年間で１０００人以上去りました。生協は人事の横並び主義が強く、あまり熱心に働いていなかった職員も相当数いたのです。当初は人が減ってもそれなりにやっていけましたが、半分近くまで減らしたとき、さすがにまずい状況になりました。

そこで、残っているパートやアルバイト従業員の経歴を調べてみると、三菱商事の総合職1期生の女性がいたり、高校の数学の先生だった人が4〜5人いたりすることがわかりました。そういう方に試験を受けていただき、契約職員になって働いてもらいました。4時間のパートが7時間のロングパートに変わり、そこからまた試験を受けていただいて総合職雇用を行いました。

私が理事長になった２００７年から総合職雇用を再開して、大卒を30〜40人採用し、今は毎年70〜80人採っています。それに加えて、契約職員として外部から派遣で来ていた人や、アルバイト、パートだった人が試験を受けて総合職になります。いわば「複線雇用」です。

入山　今、日本では契約社員を正社員化する、同一賃金にするなどの動きが出てきていますが、大見さんは07年からやむを得ずながら行っていたわけですね。

大見　人が足りなくて、今いる人を戦力化するしかない。調べてみると、女性で優秀な人がたくさんいた。それで、いろいろな人に声をかけて、次から次へと契約職員になってもらった。すると、正社員が9時間かけてやっていた仕事が7時間でできてしまう。大半の仕事はこなせるんです。就労モラルも高い。これでいけると思ったのが「複線雇用」のきっかけです。

入山　じつはそれはグーグルが行っていることと同じです。グーグルは人気企業なので優秀な人材が採れますが、さらによい人材を採用したいと考え、Gサーチという仕組みをつくりました。そして、何らかの事情で会社勤めから離れている人も含め、埋もれている優秀な人材を探して目星をつけると、それは専業主婦だというのです。

僕自身も同じような経験があります。娘が幼稚園に通っている時期、たまに迎えに行って、娘をほかの子どもたちと一緒に遊ばせていると、保護者に専業主婦の方がいて、話していると自動車に詳しい。聞くと、三菱自動車で企画を担当していたと言われました。そういう優秀で能力があるのに、出産や結婚を機に社会的な力が発揮できなくなっている人がいる。もちろん、家事・育児も大切なことですが。

女性が力を発揮できる組織は、まさにダイバーシティですね。

人を束ねる力と向上心のある人に活躍してもらう

大見　破綻の直前、私は一番大きな店舗の店長を務めていたのですが、大型店ではお中元、お歳暮の発送が大量になるので、その時期に15〜16人をアルバイトで採用し、ローテーションを組みます。あるとき、リーダーになってもらった人は60歳近い女性だったのですが、非常にマネジメントに優れていた。聞くと、地域の卓球クラブのリーダーとして150人を束ね、地区大会で優勝したというのです。そんな人ですから、動機づけはできるし、目標管理もできるし、じつに素晴らしい。

入山 面白いですね。

大見 子どもたちが全員テレビゲームで遊び始めたら、そこには人間的葛藤や衝突がないから、人間関係を結ぶ力が落ちていく。それではマネジメントができない。これは問題ですね。

入山 今、正解はAIが教えてくれるという時代になってきています。だからこそビジネスにおいて重要なのは、人を鼓舞して、一緒に新しい未来をつくっていく能力です。そういう人間としての「地力」が大事で、コープさっぽろも今、そういう地力のある人を探して採っているところですね。

大見 たとえば、今の物流責任者は41歳ですが、11年前に私たちが物流事業を吸収したときは一契約職員でした。現在の宅配センター長で以前パートだった人もいます。人を束ねる力と向上心がある人にはどんどん上のポジションで活躍してもらっています。

入山 そういう方は、抜擢されると力を発揮するものですか？

大見 します。やってみたらできるという人が結構います。やってみなければわからないので、とりあえずやってもらうことを前提にしています。1年経って難しいと思ったらもう一度ランクを下がってもらって、再度チャンスを与える。経験によって実践知を身につけて伸びていく人材は大事ですね。

入山 やった数ですね。打席に立った数。コープさっぽろは、意図的にそういう人にどんどん成長してもらおうとしているわけですね。

「雑種強勢」でダイバーシティ経営を進める

入山 私は2、3年前からコープさっぽろの理事を務めていますが、理事になる前に総代会で基調講演をさせていただきました。そのとき、大見さんが大勢の組合員さんがいらっしゃる前で、「コープさっぽろは怪(あや)しい組織を目指している」と言った。「われわれはもっと怪しくなりたいんだ」と。みんなポカンとしていましたが、僕は面白いと思った。そのあと交流させていただくと、たしかに怪しい人が多いですね。

大見 怪しい人、多いです。変な人が多い。

入山 面白い人とか、コープさっぽろのあり方に共感してくれるよくわからない一芸のある人が集まってくる。多様な人が増えると怪しくなる。

大見 単線で、新卒を採用するだけでは金太郎飴になって、職員の中で多様性は生まれません。年功序列型になって、失敗を恐れる風土になります。金太郎飴のような人間がいっぱいいると、自分たちが行っている事業に対して問題意識を持つことがなくなりますね。これではダメだと思うのです。ですから、私は「雑種強勢（ざっしゅきょうせい）」とずっと言い続けているのです。雑種で強い勢いをつくる。

入山 雑種強勢。

大見 門外漢の人がいっぱい入ってくることを通して、今までの常識がいかに非常識だったかも含めて、客観化できることは大事です。何が優れているか優れていないか相対化できると、「それは、もっとこうしなくてはいけなかったのかな」などの気づきになりますから、異業種からの中途採用も積極的に行っています。かなりいろいろな分野から来ていただいています。

ダイバーシティと言うとき、一般に女性の登用をイメージしますが、外国人の登用もあります。じつはベトナムから200人以上来てもらい、総菜工場などで働いてもらっています。彼らからは日本文化との違いや、日本人のおかしな点などにも気づかされます。台湾人も中国人もいますが、さらに多様に北欧の人などに入ってきてほしい。

入山　いいですね。

大見　日本人の目線が本当に当たり前なのか、外国人でなければ気づかない点があります。自分たちの自己認識が正当かどうか客観化することは、組織にとって大事ではないでしょうか。

入山　ものすごく大事ですね。とくにコープさっぽろの場合は、多様な組合員やお客様など、いろいろなステークホルダーがいるので、絶対の正解がない中、何が一番いいのかを多様な目で考えるということですね。

大見　そうです。6、7年前から、障害者雇用を本格的に始めました。この3月で700人を超えて、正規換算障害者雇用率7％を達成しました。売上高3000億円以上の組織で7％を超えているのはコープさっぽろだけなので、日本一だと思います。ほとんどの職場に障害を持つ方がいます。

知的障害を持つ方は、複数の業務を同時に行うと混乱しますが、一つひとつを順番に指示していくとちゃんとやってくれます。思考の順序立てをやれば、その分野ではすごい能力を発揮する。仕事の手順を変えるだけで、健常者以上に能力を発揮する人がいっぱいいます。それから、職場にハンディを持った方がいると、みんなが相手を思いやり、優しく寛容になります。障害を持つ方が入ることで、職場環境が改善され、モラルが上がると思います。

入山　健常者と障害を持つ方が同じ職場で働くわけですね。

大見　同じ職場で、障害を持つ方に能力を最大に発揮してもらうにはどうするのがいいか、それを健常者が考えるようにすれば、生産性は上がります。

入山　私もいろいろな会社を見てきていますが、コープさっぽろは日本で一番と言っていいほどダイバーシティが進んでいる組織ではないでしょうか。

仕事改革発表会を1年に18回開催

入山　人材面でもう1つ伺いたかったのが、社内での人材教育の徹底ぶりに関してです。僕はいろいろな会社を見てきましたが、みなさん人材育成が大事だとわかっていながら、だいたい後手に回って、しかも自分たちでやらず研修に出す。コープさっぽろに来て一番驚いたのが、大冊の人材育成の資料があることでした。ものすごいコンテンツです。しかも全部社内で制作し、人材育成と教育を自前でやる。その考えはどこからきているのですか？

大見　私の父親はトヨタに勤め、母親は農協の職員でした。中学校の頃、父親がトヨタのＱＣサークル活動[※1]の大会で発表すると言って、母親が原稿を清書していたのを覚えています。母

※1 現場従業員が行う品質管理や業務改善の小集団活動

親が「こんな労働者を搾取するようなことやめたほうがいい」なんて冗談で言っていたのですが、日本にはボトムアップ経営という、現場が知恵を発揮する土壌があると思うのです。

コープさっぽろには今1万6000人以上の職員が登録されており、この数だとトップダウンだけではダメで、ボトムアップとの融合がなければ絶対うまくいかない。とくに小売業は労働集約産業なので、直接の顧客接点は店舗や宅配担当者などの現場です。現場接点で、自分たちでどうすれば仕事がしやすくなるかという気づきと考えを実務的に改善して、なおかつそれを水平展開する。これをやり続ければ、間違いなく生産性が上がっていくでしょう。

QCサークル活動の基本的な手順やIE（インダストリアル・エンジニアリング）ですね。いわゆる作業の工程管理・改善などはテイラーの「科学的管理法」[※2]が原点になっていますが、ああいうフレームワークは今でも大切だと思うのです。そこをしっかりと教育する。今、1年に18回、仕事改革発表会を行っています。QCとIEの基礎教育をパートにまで行って、パートにも発表してもらうと結構面白い。

入山　パートさんにもやってもらうのですね。

大見　そうすると、私たちが持っている業務水準を超える例が出てくるのです。その秀逸なものを、事業担当の部長は、半年以内に横展開しなければ降格するというルールにしたのです。これ

※2 20世紀初頭にアメリカの技術者・経営者フレデリック・テイラーが提唱した生産性を改善する手法

はボトムアップになりますね。自分の提案が実現すれば、その人は組織における自分の存在理由を確認できますから、熱心な働き手になります。意欲を高めることも含めて、この発表は非常に力になっています。

入山 選ばれなかった方にも刺激になりますね。自分も頑張れば採用されるんだという。

大見 予選会まであるのですが、本選18回に出てくる発表本数は年間３００本です。その３００事例に対しては必ず私がコメントします。

入山 ３００事例全部？

大見 順番に３００事例全部。毎回20弱にコメントします。するとその中から経営課題として何をしなくてはいけないのか、ヒントが出てくるのです。これも面白くてやめられません。トップダウンとボトムアップのジョイント型で日本は強くなるのではないかなと思っています。

入山 わかります。日本人は勤勉で真面目ですし。うまく現場のモチベーションが上がって頑張っていれば強くなりますものね。

大見 なります。

入山 コープさっぽろの人材育成への力の入れ方には本当に驚きます。教育用の動画もたくさんつくっていますね。「この作業をやるときにはこれを見ればわかる」という動画を内製している。

そのモチベーションがすごい。

大見　これは良品計画のMUJIGRAMという仕組みを学んで、マニュアルをつくり、4年前から動画作成を始めて、今2000本以上あります。新しいセクションに入ったパートさんは第1四半期中に、自分の仕事に該当する動画を全部見なきゃいけない。そこには作業手順だけでなく、標準作業時間まで全部入っています。これは私たちの宝になっていて、更新をちゃんと行っていくのがポイントです。更新することで、いわゆる作業のスタンダーディゼーションがしっかりと積み上げられる。

入山　MUJIGRAMの最大のポイントはつねに改善され続けること。現場の声を拾ってアップデートされる。同じことを繰り返すだけでは現場も成長しないし、モチベーションも上がりません。いかにマニュアルを改善させるかが重要で、それがこの仕組みの哲学の一つですが、大見さんはそれを学んで、かつ動画にしてアップデートしている。

大見　「徹底的にパクッて進化させる」ので、「TTPS」だと冗談で言っているのですが、よくできていると思います。新しく入ってきたパートさんが「こんなに教育プログラムができているんだ」と皆びっくりします。

入山　僕も資料を見たとき、びっくりしました。なんだ、これは！　と。

大見　積み上げ型の改善は着実に生産性を上げます。

いち早くデジタル化に着手

入山　さらにコープさっぽろをこうしていきたいという、これからの課題は何かありますか？

大見　DXに関連する話ですが、今コープさっぽろは、コミュニケーションツールとしてSlack（スラック）を活用し、Zapier（ザピアー）でスプレッドシート（グーグルの表計算ソフト）を使って業務を行い、さらに2023年からAppSheet（アップシート）で簡単なプログラムをつくるところまできています。

私は02年に、組合員の利用情報であるPOSデータをウェブ上で開示するシステムを、デンバーにいる日本人のエンジニアに頼んでつくってもらったのです。それは最先端でした。日本でクラウド業務が始まる08年の前年の12月にGoogle Apps（グーグルアップス）の代理店契約をして、そのあとスタンフォード大学の近くにあるグーグルのR＆Gセンターを訪問して、今後の進化の方向についてレクチャーを受けました。

入山　すごいですね。20年前。

大見　20年前にウェブでPOS情報を開示したのですが、それはウインドウズ95がメーカーの営業担当にまで普及してきたときで、メーカーに、エクセルベースでPOSデータをダウンロードできる設計をオファーしたのです。それで皆使えるようになってやり始めたのですが、22年から23年にかけて、先ほど言ったスラックでスプレッドシートを活用することにしました。これはエクセルを否定することになります。エクセルを使っているかぎりは次のステージに行けないのです。スラックを導入してスプレッドシートを使うようになって、ホワイトカラーの前後工程の仕事の仕方、プロセスが革命的に変わりました。

入山　グーグルの持っている表計算ソフトとスラックなどをうまく組み合わせてやればいいのですが、エクセルに慣れ親しんだ人には抵抗がありますね。逆に言うと、そこを浸透させていけばデジタルがもっと面白くなる。

大見　もっと面白くなりますね。

入山　じつは、僕はDXについては結構講演させていただいているのですが、そのとき一番強調するのは、デジタルのトップは一番、経営をわかっていなければいけないということ。「会社全体が見えている中でのデジタル」という感覚を持っている人がDXのトップをやるべきですが、そういう人は少ない。

とりあえずやってみると利便性がわかる

入山 コープさっぽろのDXは、まず長谷川秀樹さんという情報システムの日本有数の専門家にCIO（最高情報責任者）として入ってもらった。それからスラックを入れて、グーグル・スプレッドシートを入れて、そして根幹ではAWSに、つまりクラウドにシステムを全部上げることを23年の3月までにやった。

大見 そこまで終わったので、あとはアプリをサクサク使えるようになると、ユーザビリティが一気に上がると思います。

入山 いろいろな企業が今それをやろうとしてできないわけですが、基幹システムサーバーを置くことをやめて完全にクラウドに上げるという意思決定は、どういう考えで行ったのですか？

大見 先にお話ししたように、コープさっぽろでは2002年にPOS情報を開示し、そのときに、グーグルクラウドにそれを乗せるという話になりました。当時のコープさっぽろの組合員は130万人ほどで、商品事故が多かったのです。アレルゲンの表示ミスもありました。そこで表示ミスを解消するために、工場名を入力すると該当品目が表示される仕組みをつくりました。メーカーの生産仕様書がそっくりそのまま文字データベースで入ってくるようにしたのです。トレーサビリティの情報連携システムによって、取引先に問い合わせなくても0コンマ何秒で該当品目が出てくるのです。２００７年のミートホープによるひき肉偽装事件のときにも、朝9時に全店に餃子など関連品目の撤去を配信して、9時半には全店で全商品の撤去が完了しました。

こうしたシステムをつくっていく中で、自分たちが持っているホストコンピュータでは対応できなくなっていたので、クラウド化するのは相当早かったと思います。

入山　早いですね。

大見　ＧＡＦＡ（グーグル、アップル、フェイスブック、アマゾン）は、大規模集団の仕事の効率化やＩＥについて相当勉強しています。だからそれに乗ったほうが勝ちです。やる前にああだこうだ言うよりも、やってどうなるかを体験したほうが価値を生む。デジタルについては、歳をとって60歳くらいになると「こんなの使いたくない」となる人が多くいます。経営者は60過ぎが多いので、ＤＸがちっとも進まない。

入山　そういう意味では、コープさっぽろは、スラックという社内コミュニケーションの手段や、グーグル・スプレッドシートをいち早く採用している。その段階で、コープさっぽろの組織がもう一段フラット化した感じがしますね。

大見　新しいことをやるときの立ち上がりのスピードの速さは図抜けていますね。リードタイムをこんなに圧縮できるツールはないでしょう。

入山　コープさっぽろは、日本の小売業の中で本当の意味でデジタルが根づき始めている会社だと思いますが、そのコツのようなものはありますか。

大見　私は、スーパーサイエンス・スクールのような高校にいたことがあって、その数学クラブに文科省から数千万円もする電卓のお化けみたいなのが入って、それを同級生がいじっているのを見ていた。そういう経験があるのでコンピューティングの黎明期から技術の進化と人間と組織の対応の変化をずっと見てきて、わかっているのです。実体験として進化の過程を知っている。私は孫正義さんとはあまり歳が変わらないし、アスキーを創業した西和彦さんとは同世代です。まさに鉄腕アトムの世代で、科学の進化とともに社会が発展するという万能論があった時期に育っているので、コンピューターがどう進化して、使い勝手がどうよくなって、生産性もどのように上がったのかが大体わかるのです。

入山　実感があるのですね。

大見　体験的にわかるのです。食わず嫌いはだめですね。とりあえずやってみると、便利さがわかります。

デジタルは遊びながら使い倒すのがいい

入山　コープさっぽろの最近のデジタルの動きでは、自社でセミセルフレジの開発を行っていますね。

大見　世界では、レジもソフトウェアとハードウェアの分離派が常識になっているのですが、日本のメーカーはズルい。「そんなのできません」と平気で言うのです。頭にきて台湾のメーカーに仕様書発注でつくってもらって、メンテナンスは全部社内でやるようにした。２０１０年ぐらいからやっています。日本のメーカーは業務を抱え込んで、いっさい口を挟ませない。あれは閉鎖系の既得権益の発想ですね。

入山　とてもわかります。

大見　オープン化することが大事です。オープン化して、使い勝手も含めてみんなが体験できたとき、そのよさが広がっていきます。

入山　日本は世界で一番、デジタル人材を企業の中に持ってない国です。デジタル人材はシステムベンダーにいて、そこに丸投げするのが日本のデジタル化だった。自分たちでやらないから力もつかないし、高い見積もりでそのままお金を払うことになる。本当は、時間がかかっても、デジタルがわかる人を採ってきたり育てたりして、ちゃんと要件定義できるようにしなくてはいけない。「ここはちょっとおかしくないか」と思ったときに、「海外のこれを使ってみよう」と自力でやっていくのが、デジタルではものすごく重要です。その点、コープさっぽろは前から自力で行っているのですね。

大見 自力でやっています。世界の常識が日本の常識になっていないからです。

入山 その通りです。

大見 それはやるしかないという話です。提携した台湾の会社が、もともと日本企業のOEMを行っていた会社だったので、日本の企業やビジネス環境についてよくわかっていた。だから非常に使い勝手のよいものができたのです。

入山 コープさっぽろの内製力はすごいですね。デジタルもこれからさらに変化するでしょうし、チャットGPTなど生成AIも誕生して、チャレンジングな面白い時代になってきました。これからのコープさっぽろのDXの展望とか、こういう面白いことをやっていきたいということはありますか？

大見　たとえば、今の三種の神器といわれるスラック、ザピアー、スプレッドシートが出てきて、それから簡単なプログラムをつくるアップシート、さらにチャットGPTが出てきた。これらを使いこなしていったときに何が起こるかと考えると、ワクワクしますね。まだ誰も使いこなしていないのだから。使いこなしたときの世界を見ることが大事だと思っています。みんなで楽しくやっていると意外な使い方が出てきて、それが共有化されることによって全体の水準が上がる。そんなふうに考えています。とにかく遊びながら使い倒すのが、一番いいのではないでしょうか。

入山　チャットGPTはこの数カ月だけでも使い方の革命が起きていますから、今から取り組んでいけば、数年後にとんでもないプラスになる、面白いことが出てくると思います。とりあえずどうなるかわからないけれど、遊び倒して使い倒してみよう、と。

大見　そうです。使い倒す。

入山　いいですね。まさに僕はDXとはそういうことだと思います。

特別講座〈対談〉

対談のポイント

1 **採用は「複線雇用」。新卒採用だけでなく、契約社員やパート従業員も総合職に登用して能力を発揮してもらう。**

2 **「雑種強勢」で会社は強くなる。異業種の人、外国人を多く採用してダイバーシティを進め、業務を改善していく。**

3 **人材教育は社内で行う。資料と動画のマニュアルを内製し、内容を更新・改善し続けることが大切。**

4 **会社のDX化は、経営全般を理解している人がトップに立って進めなくてはならない。**

5 **ChatGPTなど業務を改善するデジタル技術を、みんなで楽しく使う中で会社全体の水準が上がっていく。**

おわりに

生活協同組合コープさっぽろ　理事長　大見英明

２０１５年にコープさっぽろは50周年を迎えることができました。そこで私たちは次の50年を展望して、「つなぐ」をテーマに、人と人、人と食、人と未来の３つをつなぐことを社会的なミッションと位置づけて実践を続け、活動の輪を広げてきました。

日本の中においても課題先進国といわれる北海道です。そこで、私たちはさまざまな問題を解決しながら、組合員の生活の質を維持し続けられる、持続可能な循環型社会の構築に貢献することが重要になっています。

新型コロナ禍とそれに続くウクライナ紛争と経済のブロック化など、新しい困難が次から次へと重なって不透明感が大きくなっています。これからも予想を超えた事態に適切に対処していかなければなりません。コープさっぽろは、まもなく迎える60周年を契機に、その次の10年を見通す方向性を明らかにしていくことが必要になってきました。

「北海道未来学」は、各界の有識者のみなさんにお願いして、これからを考えるヒントを提供していただき、その中で私たちがどう実践していくかを考える場にできればと、小樽商科大学との共同で開催いたしました。２０２３年度は13名のご講演者の協力で、北海道の地政学的な可能性、技術の最先端からの気づき、食の未来、また教育や地域の再生の方向性など、たくさんの知恵を私たちに与えていただいたことに深く感謝したいと思います。

この講演は、私たちと講師をつなぐ役割も同時に果たしてくれています。そして私たちはその結びつきと新しい学びからの実践も始めました。今はスピードも重要になっています。

本講座の開設にご協力いただいた小樽商科大学、ならびにご協力いただいたご講演者のみなさんにあらためて深く感謝いたします。先進的に課題解決を実行していく私たちでありたいと思いますので、今後ともご支援をよろしくお願いいいたします。

［監修者］

国立大学法人北海道国立大学機講 小樽商科大学
コープさっぽろ寄付講座運営委員会

国立大学法人北海道国立大学機講 小樽商科大学
李 濟民（名誉教授）
金 鎔基（商学科 教授）
玉井健一（グローカル戦略推進センター産学官連携推進部門長・教授）
北川泰治郎（グローカル戦略推進センター産学官連携推進部門 副部門長・教授）
松本 勇（教務課学部教務係長）

生活協同組合 コープさっぽろ
大見英明（理事長）
緒方恵美（組織本部長）
大塚高弘（人事部長）

国立大学法人北海道国立大学機講 小樽商科大学

1911年、国内で５番目の官立高等商業学校である「小樽高等商業学校」として創立し、1949年、学制改革に伴い小樽商科大学として単独昇格。創立以来、「実学・語学・品格」を教育理念とし、広い視野と豊かな教養、倫理観に基づいた専門知識と識見を有し、現代社会の問題解決に指導的役割を果たす人材を育成している。

生活協同組合コープさっぽろ

1965年に、消費者の手で真に消費者の利益を守る流通網をつくろうと設立。北海道内で、店舗、宅配システム「トドック」、エネルギー事業など生活に関わる事業を展開している。2023年10月には組合員数200万人を達成。道内の世帯加入率は８割を超えている。

国立大学法人北海道国立大学機構 小樽商科大学経営学特講 生活協同組合コープさっぽろ寄付講座

北海道未来学

2024年 4 月23日　第 1 刷発行

監修者——国立大学法人北海道国立大学機構 小樽商科大学
コープさっぽろ寄付講座運営委員会
発　売——ダイヤモンド社
〒150-8409　東京都渋谷区神宮前6-12-17
https://www.diamond.co.jp/
電話／03･5778･7240（販売）
発行所——ダイヤモンド・リテイルメディア
〒101-0051　東京都千代田区神田神保町1-6-1
https://diamond-rm.net/
電話／03･5259･5941（編集）
装丁デザイン—山﨑綾子（dig）
印刷／製本—ダイヤモンド・グラフィック社
編集協力——大屋紳二（ことぶき社）
編集担当——山本純子

©2024 CO-OP Sapporo
ISBN 978-4-478-09089-3
落丁・乱丁本はお手数ですが小社営業局宛にお送りください。送料小社負担にてお取替えいたします。但し、古書店で購入されたものについてはお取替えできません。
無断転載・複製を禁ず
Printed in Japan